「覇権」で読み解けば世界史がわかる

神野正史

祥伝社黄金文庫

JN070046

本書は、２０１６年９月、小社から単行本で刊行された
『「覇権」で読み解けば世界史がわかる』を文庫化したものです。

はじめに

人類が文字を発明して「歴史時代」に入ってから、まだ5000年しか経《た》っていません。

農業を始めたころに遡《さかのぼ》って数えても1万年。

地球46億年の歴史どころか、現世人類発祥（20万年前）から見ても、5000年など“ほんの一瞬”でしかありません。

しかし、その5000年の間に人類は月に人間を運ぶことができるほどに文明を高め、その間にどれほど多くの国が興《おこ》り、繁栄し、そして亡《ほろ》んでいったことかしれません。

中には、周辺諸国をことごとく併呑《へいどん》し、覇《は》を唱えた国もあります。

アッシリア帝国、アケメネス朝ペルシア帝国、ローマ帝国、中華帝国、イスラーム帝国、大英帝国……。

いずれも歴史に名を残す強国として我が世の春を謳歌《おうか》した国々でしたが、今は影も形もありません。

しかし、その国の中に生きた人々は、やがて自分の国が「亡びてなくなる日が来る」などとは夢にも思ってもいなかったことでしょう。

現代において覇を唱えるアメリカ合衆国が、やがて亡びるなどということが想像できないのと同じように。

人は歴史的な観点から物事を判断することがなかなかできず、自分の狭《せま》い経験の中でしか判断できないためです。

自分が生まれたときも、自分が大人になっても、我が国は厳然としてそこにあった。

だから、これからもずっと強国で在《あ》りつづけるだろう。

その呪縛《じゅばく》から解き放たれている人は少ない。

企業の平均寿命はおよそ30年と言われますが、国家の平均寿命はだいたい200年です。

300年つづけば長期政権、500年以上つづく政権は、人類の歴史を紐解《ひもと》いてもそれこそ数えるほどしかありません。

ましてや、覇権を握ったような国は総じて短命です。

さて、アメリカ合衆国が独立宣言をしたのが1776年7月4日、今から250年ほど前のことです。

すでにアメリカも国家として〝老齢期〟に入っているということです。

確かに20世紀は「アメリカの世紀」といって過言ではありませんでした。

しかし、「絶頂」の後に来るのはかならず「没落」です。

このまま21世紀もアメリカの覇権がつづくとは考えられません。

では、アメリカはどのようにして衰亡していくのでしょうか。

アメリカ亡きあと、次なる新秩序世界はどのようなものになっていくのでしょうか。

未来を推し量るとき、たいへん役に立つのが歴史学です。

そこで本書では、過去、覇を唱えた帝国の繁栄と衰亡を学んでいくことで、21世紀の行く末を推考していこうと試みるものです。

歴史は、ただの懐古趣味を満たす道具ではありません。

過去を学ぶことで未来を知ることが可能になることを知ってほしい。

本書が、そのきっかけとなってくれるなら、筆者としてこんなにうれしいことはありません。

２０１６年8月

神野《じんの》正史《まさふみ》

「覇権」で読み解けば世界史がわかる　目次

装丁　フロッグキングスタジオ

［序章］

転換期こそ歴史から学べ

今、世界は転換期を迎えている

現在、世界はいよいよ混沌《こんとん》としてきています。

今までの常識が通用せず、予測不能な出来事がつぎつぎと起こり、先の見えない世の中となってきました。

21世紀最初の年、2001年（9月11日）に起こった「同時多発テロ」はその象徴的事件と言えるでしょう。

あんなテロは20世紀までの常識では考えられないような事件です。

じつは、こうした「これまでの常識を破るような出来事がつぎつぎ起こる」というのは、歴史が大きな転換点《ターニングポイント》を迎えていることを意味しています。

安定期と混乱期、凡人と天才

人類の歴史を紐解けば、「安定期」と「混乱期」を交互に繰り返していることが分かります。

安定期というのは、その時代、その社会に根付いた価値観が安定する時代です。

社会全体に共通の価値観が拡がり、それが「常識」となって、親の世代の常識が子の世代にも通用します。

事件は起きても「常識外《はず》れな事件」は起きず、(＊01)その中で生きる人々は特別な才も深い思慮もなくても「先例《マニュアル》どおり」に生きれば大過なく過ごせるため、凡人にとってはたいへん生きやすい時代です。

ところがそれは同時に、「価値観が固定化された閉塞的停滞社会」という側面もあります。

したがって、才ある者にとって自分の才を発揮する場がなく、「昨日とおなじ今日が明日もつづく」という単調な日々に息苦しさを感じます。

たとえその才を発揮して、社会を変えるような画期的なものを創造《クリエイティブ》しようとしても、それは「社会の秩序を乱すもの」として圧殺される力学が働きます。

たとえば企業内でもよく、優秀な部下が「こうしたらもっと効率が上がりますよ！」と改革案を出し、またそれがどんなにすぐれた提案だったとしても、無能な上司が、言下に却下するということはよくあります。

（＊01）たとえば1997年、「酒鬼薔薇聖斗」と名乗る中学生が連続殺人を犯したのみならず、その生首を小学校の校門前に晒した猟奇事件を筆頭として、つぎつぎと「常識を逸脱した事件」が起こるようになってきていますが、これも「時代が転換期を迎えている」ことを示しています。

そのときの〝伝家の宝刀〟が次の言葉です。

——前例がない。

「前例がない」ことを理由に改革案を潰《つぶ》すのなら、未来永劫《えいごう》新しいものは生まれないことになりますが、無能な人間は「先例《マニュアル》どおり」に生きることを好み、(*02)それを掻《か》き回されることを極度に嫌います。

先が見えない時代に役立つ歴史学

しかし、そうした「安定期」がいつまでもつづくということはありません。

安定期が50年つづくことはたいへん珍しく、100年つづく例は人類史上でも稀有《けう》です。

しかも、安定期が長くつづけばつづくほど、次に到来する混乱期は長く悲惨なものになります(*03)。

日本は、戦後70年にわたって「安定期」でした。

しかし、それももはや限界を迎えています。

それは日本だけでなく、世界的規模で「混乱期」に入りつつあります。

安定期と違って、混乱期は先が見えません。

それまでの「常識」が通用しない出来事がつぎつぎと起こるからです。

こうした先が見えない時代こそ、歴史学の本領発揮です。

もともと歴史学は懐古趣味を満たすための娯楽ではありません。(*04)

過去の事象からその本質や法則性を探り出し、目の前で起きている出来事の本質と先の見えない未来を紐解いていくための高度な学問です。

人類の歴史を振り返れば、特定の地域・文化圏・世界に覇を唱える強国が現れると、その強国の力がおよぶ範囲が「安定期」となり、そうした強国が衰《おとろ》えると「混乱期」になります。

そこで本書では、特に歴史上現れた世界に覇を唱えた「世界帝国(*05)」を取り上げ、それらの国々がどのように生まれ、発展し、絶頂を極め、そしてやがて衰微し、亡んでいったの

（*02）というか、才がないため、そういう生き方しかできないのですが。

（*03）この宇宙森羅万象すべては「調和」によって成り立っています。対になるものすべては「足してゼロ」になるようになっています。安定と混乱でプラマイゼロ。平和と戦争でプラマイゼロ。幸せと不幸でプラマイゼロ。「平和だけが永久につづいてほしい」と願うのは勝手ですが、それは宇宙真理に反する理念であり、あり得ないことです。

（*04）懐古趣味の娯楽として歴史を学ぶこと自体はかまわないのですが。

かを検証し、これを「歴史法則」として纏《まと》める作業を通して、21世紀の混沌を紐解いていくことを試みていきます。

（＊05）もともと「帝国」とは、「複数にわたる民族、国家、文化圏を包含した支配権をもつ国家」を指しますが、ここで使用されている「帝国」は〝勢いのある国〟という程度の意味合いにすぎませんから、その国体自体が「王国」であっても「共和国」であっても関係なく「世界帝国」と呼びます。

［第1章］

ローマ帝国

——民主と独裁の絶妙なバランス

ローマの誕生

古代ヨーロッパにおける覇者、それがローマ帝国です。

人類史上、後にも先にも唯一「地中海統一」を果たし、これを「我らが海《マーレノストロ》」とした大帝国です。

しかしその大帝国も、始まりは〝点〟のように小さな都市国家にすぎませんでした。

「ローマは一日して成らず」の格言どおり、その〝点〟が地中海帝国に至るまで、足かけ600〜700年以上(*01)もの途方もない歳月を要しています。

もともと黒海からカスピ海の北方に拡がる草原地帯で暮らしていた遊牧民が紀元前2000年紀(*02)ごろに中部イタリアに侵入し、そのうち〝ローマの七丘《しちきゅう》〟に定住するようになった民族がラテン人(*03)と自称しはじめたのが発祥です。

建国当初は王政（753B.C.〜509B.C.）でしたが、共和国となった（509B.C.）ころからローマの発展が始まります。

執政官を2名にした目的

それにしても〝点〟のような都市国家が、地中海を「我らが海《マーレノストロ》」とすることができたのはなぜでしょうか。

この点を踏まえながら、ローマの歴史を辿《たど》ってみることにします。

ローマは最後の王タルクィニウスを追放すると、それまでの王の代わりとなる官職を新設することになりました。

それが行政長官「執政官《コンスル》」なのですが、これがローマ人の価値観をよく反映していて、たいへん興味深い。

まず、その定員は２名。１名ではなく２名。

たいてい、どこの国でも行政長官はひとりです。

指導者(＊04)の数が増えれば増えるほど「船頭多くして船山に登る」、政府として機能しにくくなるからです。

そこを敢《あ》えて「２名」にしたことは、彼らが如何《いか》に独裁者の出現を恐れていたかが窺《うかが》

(＊01)　伝説では紀元前７５３年から始まると伝えられており、その説を取れば７００年間。しかし史実はおそらく６００年ごろと言われていますから、そこから数えれば６００年間。日本の歴史で今から７００年前といえば鎌倉時代にあたります。

(＊02)　２００１Ｂ.Ｃ.～１０００Ｂ.Ｃ.までの１０００年間を指す言葉。

(＊03)　その語源は判然としませんが、ラテン語の「Lati」には「広い」「大きい」という意味があることから「広い土地に住む民族」「偉大なる民族」という意味かと推察されます。

い知れます。

任期はわずか1年。

その者がどれほど優秀であろうとも任期の延長も再任も許されず、一度でも執政官《コンスル》を経験した者は、一生にわたって二度とコンスルになることはできません。

遊牧民であった彼らは、その歴史的背景から民主精神が強い(*05)こともあり、新設の執政官《コンスル》がふたたび「王」となって自分たちの権利を侵さないよう、徹底的に独裁を排する配慮がなされたのです。

しかも、執政官《コンスル》は任期中ですら、自分の思いどおりの政治ができるわけではなく、王政時代からあった諮問機関「元老院《セナートウス》」の監視と助言に基づいた政治しかできませんでしたから、執政官《コンスル》は事実上、300名の元老院《セナートウス》議員の傀儡《かいらい》にすぎませんでした。

では、元老院《セナートウス》が最高権力機関かといえばそうでもなく、あくまで制度上は「執政官《コンスル》の助言者《アドバイザー》」としての地位でしかなく、このように権力を分散させることで独裁者の出現を抑える組織づくりを心掛けます。

民主と独裁のバランス

このように、ローマの政治システムがひじょうに「民主政」を重視したシステムだということが分かります。

しかし、民主政は万能ではありません。

ローマがもしこれだけで終わっていたら、この国が歴史に名を留《と》めることはなかったでしょう。

他の泡沫小国と同じように歴史の中に埋もれていったに違いありません。

彼らラテン民族のすぐれていたところは、それほどまでに民主政を重んじる気風がありながら、きちんと「民主政の限界」を自覚し、「独裁政の利点《メリット》」を理解できていた点です(*06)。

じつは、民主政は平時にはうまく機能しますが、非常時になるとたちまち機能停止してしまうという致命的欠陥があります。


(*04) その好例が、18世紀末フランスで生まれた総裁政府。行政長官を5人にしたことで一貫した政策が打ち出せず、たちまち崩壊しました。

(*05) 農業は仕事内容が決まっていますからその都度「話し合う」必要はありません。これに対して遊牧生活では毎回次の行動を考え、決定しなければなりません。しかもひとつの判断ミスが命取りとなることもあるため、自然と「みんなで話し合って決める」という制度が定着します。

(*06) 哀しいかな、日本人はここのところをまったく理解できていない人がたいへん多い。戦後の偏った教育のために「民主主義が絶対正義」だと盲信している人ばかりです。

逆に、独裁政は非常時にはうまく機能しますが、平時にはその弊害の方が大きい。

つまり、民主政と独裁政は「けっして両立し得ない対立したシステム」ではなく、「2つでひとつ」、お互いに欠点《デメリット》をうまく補《おぎな》い合って初めて政治はうまく機能するのです。

この事実をよく理解できていたラテン人は、平時には民主政を徹底させつつも、非常時には「独裁官《ディクタトール》」という非常官を設置して臨時に独裁政を認めます。

執政官《コンスル》と違って独裁官《ディクタトール》の定員はもちろん1名。

任期にある間、独裁官《ディクタトール》は元老院《セナートウス》の意向を無視して、自分の思うがままの政治を実行することすら許されるという、まさに「独裁」的権力を与えられます。

しかし、彼がほんとうに「独裁者」となってしまうことを防ぐため、任期はたったの半年。

執政官《コンスル》同様、任期の延長および再任は禁止します。

民主政と独裁政のいいとこ取りをした政治システム。

一見相容れないようにみえる「民主と独裁」を絶妙に絡《から》める、この政治的バランス感覚こそが、やがてローマを「世界帝国」に押し上げた大きな要因でした。

会社経営でも、すぐれた経営者はここが違います。

攻めと守り。

慎重さと大胆さ。

話し合いと独断。

……などなど、まったく相反する両極端を「どちらかが正しくてどちらかが間違い」と決めつけるのではなく、そのメリットが最大限発揮される方を臨機応変に採用していく。

そうした経営が企業を発展させ、それができない企業は衰退していきます。

■歴史法則01■

何事にもバランスが取れた体制・システムが安定と長寿の秘訣《ひけつ》。

何かひとつの理念を「理想」としてそれに偏重した組織は、一面に強みを見せるが適応能力に弱く、短命に終わる。

貴族と平民のバランス

しかし、政治バランスが〝理想的〟だったわけでもありません。

それは、貴族《パトリキ》と平民《プレブス》間の政治的権利のアンバランスとして現れています。

当時、元老院《セナートウス》議員や執政官《コンスル》になる資格は貴族《パトリキ》にしか与えられておらず、政治は貴族《パトリキ》の独《どく》擅場《せんじょう》でしたから、これではただでさえ立場の弱い平民《プレブス》たちは社会的・経済的に追いやられる一方で、不満を募《つの》らせるのも当然。

こうして紀元前494年、ついに平民《プレブス》たちが立ちあがり(*07)、彼らはローマ郊外の聖山《モンスサケル》に立て籠もります。

――確かに傲慢《ごうまん》な王は去ったが、それに貴族《パトリキ》が代わっただけではないか！

我々が相当の権利を得るまで、ここを一歩も出ないであろう！

時の執政官《コンスル》メネニウス＝アグリッパは彼らを説得してこう言いました。

――平民《プレブス》諸君！

我々貴族《パトリキ》と君たちは、いわば「胃袋と手足」の関係だ。

手足がなければ腹は満たせないし、胃袋がなくては手足も役に立たない。

どちらがなくても共倒れしてしまうだろう！

我々は協力しなければ生きていけないのだ！

こうして、平民《プレブス》たちの不満が鬱積《うっせき》してくるたびに、貴族《パトリキ》たちはひとつ、またひとつと彼らに権利を与えていきます。

このときは、平民《プレブス》に護民官《トウブリヌス》と平民会の設置を認め、護民官《トウブリヌス》を議長とする平民会は元老院《セナートウス》や執政官《コンスル》の決定に対して拒否権が与えられました。

その代わり、元老院《セナートウス》にも平民会の決定に対する拒否権が与えられ、お互いに牽制《けんせい》しあえるバランスが取られます。

またしばらくすると、リキニウス＝セクスティウス法（367B.C.）によって執政官《コンスル》2名のうち1名は平民《プレブス》出身とし、行政府におけるバランスも図られました。

さらに紀元前287年には、ホルテンシウス法が制定され、平民会の決定は元老院《セナートウス》の承認を必要としなくなり、これを以《もっ》て「ローマ民主政の完成」と見做《みな》されます。

■歴史法則02■

バランスを失ったとき、為政者に富や権利の再分配をする柔軟性があるかどうかが国家再建の分岐点となる。

（＊07）こうした下層身分の者が上層身分に対して権利を要求する運動のことを「民主化闘争」といいます。

特権階級の柔軟性

こうした貴族《パトリキ》たちの柔軟性も、ラテン民族のすぐれたところです。

人というものはひとたび権力を得ると、たちまち保守化・硬直化し、たとえ何があろうとも、命に代えても、微塵《みじん》たりともそれを手放そうとしなくなるものです。

しかし、特権階級が権力を独占する状態がつづけば、「持てる者」と「持たざる者」による熾烈《しれつ》な闘争が繰り広げられ、国全体が疲弊・荒廃し、亡ぶことになります。

国を失ったのでは元も子もないのですが、ひとたび権力に酔った者にはなかなかこれが理解できません。

たとえば、18世紀末のフランスでは特権身分（第一・第二身分）が国家の権利をことごとく独占し、第三身分は怨嗟《えんさ》の声を上げていましたが、特権身分は断固として特権を手放そうとしませんでした。

その特権のうちのほんの一部でも第三身分に分け与えていれば、第三身分たちは大いに喜び、フランス革命など起きず、特権身分は、末永く甘い汁を吸いつづけることができたものを、それをしなかったがために革命が生まれ、結果、何もかも身ぐるみ剝《は》がされ、場合によっては命まで取られる始末となります。

ドイツの帝国宰相 O《オットー》・ビスマルク(*08)曰く。

——愚者とは経験からしか学べぬもの。

　賢者なら歴史から学ぶ。

「歴史に学ぶことができぬ愚者」は、こうしておなじ過ちを繰り返し、そして自滅していきます。

与えよ、さらば与えられん

　その点、ローマ人は優秀でした。

　確かに近視眼的に見れば、権利を譲《ゆず》るたびに貴族《パトリキ》は「損」をしたように見えます。

　しかし実際には、貴族《パトリキ》が持てる権力の一部を平民《プレブス》に認めるたびに、平民《プレブス》の生活が回復したため、国内の不穏分子がいなくなって秩序を安定させると同時に、対外的にも安定した軍事力を支えることになりました。

　当時の軍隊は「市民皆兵」だったためです。

　市民は貴族《パトリキ》・平民《プレブス》の区別なく参戦義務がありましたから、平民《プレブス》の生活を安定させてやることで初めて彼らの参戦が可能となると同時に、そうした自分たちの生活を守るためです

（＊08）プロシア王国首相（1862～90年）にしてドイツ第二帝国宰相（1871～90年）。

から、極めて士気の高い屈強な軍隊が生まれたのです。

こうして貴族《パトリキ》・平民《プレブス》の結束が生まれ、国力がみなぎることで、それが必然的にローマの領土を拡大させることになり、収入はむしろ増えていきます。

■歴史法則03■
組織の安定は対外的膨張を促《うなが》す。

まさに「損して得とれ」「与えよ、さらば与えられん！」(＊09)です。

自分たちの利益だけを考え、これを護ろうとするのではなく、つねに全体の利益を考え、自分が損をしてでも国益を護る許容力が、このころのローマ人にはありました。

それが、〝点〟のような都市国家にすぎなかったローマをゆっくりと、しかし確実に地中海帝国に押し上げていく原動力になったのでした。

［ローマ共和国　発展の理由］
・民主と独裁の絶妙なバランスが取れた政治システムを構築した。
・貴族《パトリキ》が権力と富を独占せず、平民《プレブス》に分け与える柔軟性があった。
・自分の家族・財産・生活を守るために戦う士気の高い軍団を保有。

拡大の陰で陥っていた危機

こうして国内問題を解決し、国力を充実させて勢いに乗ったローマ共和国は、紀元前272年、ついに半島統一を成し遂げます。

さらにその勢いのまま、当時西地中海の覇者だったカルタゴを破って（ポエニ戦争）西地中海までその支配下に収め、のみならず、バルカン半島、アナトリア半島へと破竹の勢いで領土を拡大。

夢にまで見た「地中海統一」も目前……というところまできます。

（＊09）『新約聖書』のルカ伝 第6章 第38節（6：38）にある聖句。

ローマのこの勢いなら、残されたシリア・エジプトの併呑など、なんの問題もないように思えました。

ところが、ここに来てローマの拡大はピタリと止まります。

拡大どころか、共和国は国家存亡の危機に陥っていたからです。

――事業と屏風《びょうぶ》は広げすぎると倒れる。

内なる問題を解決した組織は、外に向かって膨張をはじめるものですが、その膨張が急激すぎると、組織がその変化に堪えられず一気に崩壊をはじめるものです。

小さなベンチャー企業が、たまたま時代の波に乗ってケタ外れな業績を上げることがありますが、その後、たちまち倒産……などという話は巷間よく耳にする話です。(*10)

ローマもおなじでした。

ほんのついこの間まで〝点〟のような都市国家だったローマが、半島統一からたった150年で地中海統一の一歩手前まで急激に領土を拡大したのですから、組織が悲鳴をあげるのは当然のことです。

■歴史法則04■
急激な変化は、組織を破壊する。

自営農から大農経営へ

具体的には、農業形態の急変でした。
――艱難《かんなん》を共にすべく、富貴《ふうき》を共にすべからず。(＊11)
これまで、市民のひとりひとりが自営農民として自活し、戦時においては市民兵として

(＊10) 組織の拡大にはたいへんなリスクを伴うものであって、慎重にも慎重を要するという自覚のない為政者・経営者は無能です。組織が拡大の一途を辿っているとき、物事の道理が分かっていない者たちは「経営の神様」「時代の寵児《ちょうじ》」などともてはやし、本人もその気になりますが、その先に待っているのは破滅です。

(＊11) 「人というものは、貧しいとき、苦しいときにはともに助け合い、譲り合うことができ、それによって苦難を乗り越えることも可能となるが、豊かになった途端、いがみ合い、奪い合い、殺し合いがはじまるものだ」という意味の高杉晋作《たかすぎしんさく》の言葉。

手弁当で戦ってくれたことでローマの発展と拡大は支えられてきたにもかかわらず、新たに手に入った領土（属州）は貴族《パトリキ》たちによって独占されていきます。

彼らはそこに効率のよい大農経営《ラティフンディウム》を敷き、安価な奴隷を大量に投入した新しい農業経営方式を導入していきます。

このラティフンディウムによって、安価な農産物が大量に生産できる体制が整いましたが、これがローマに流入したことによって、小農経営で細々と生計を立てていた平民《プレブス》たちの生活はたちまち破綻《はたん》してしまったのです。

現在で喩《たと》えれば、小農経営が主体の日本（ローマ）に、広大な農地に大型農業機械（奴隷）を導入したアメリカ（属州）の安い農産物が無関税・無制限に輸入されたようなものです。

そんなことをされたら、日本（ローマ）の農家はたちまち行き詰まってしまいます。

マタイの法則の拡大

このように、ローマ拡大の中で得た莫大《ばくだい》な富はローマの市民に均霑《きんてん》［均しく分配］されることなく、貴族《パトリキ》ばかりが独占的にこれを吸い上げつづけたことで、その財力は以前までの貴族《パトリキ》と比較にならないほど富裕になったため、これと区別して「新貴族《ノビレス》」と呼ばれるようになります。

またこうした経済混乱の中でうまく立ち回って成り上がった者たちが現れ、彼らは「騎士」《エクィテス》(＊12)と呼ばれる新しい富裕層となります。

――富める者はますます富み、貧しき者はますます貧す。(＊13)

まさに「マタイの法則」を地でいく状態となり、一方の平民《プレブス》たちは、無産市民《プロレタリウス》へと没落していく者が続出し、上は新貴族《ノビレス》から下は無産市民《プロレタリウス》まで、貧富の差は隔絶的なものとなっていきました。

■歴史法則05■

殷富《いんぷ》［富み栄えること］は富の偏在を促し、富の偏在は秩序を破壊する。

こうして、決定的な貧富の差が生まれ、平民《プレブス》たちが没落したことによって、軍が組めな

（＊12）「エクィテス」の直訳的な意味は「騎士」ですが、隠語的に「成金野郎」という皮肉の意味も込められるようになります。

（＊13）『新約聖書』マタイ伝（13：12）。

くなり、ローマは領土拡大どころではなくなったのです。

これまで「拡大」がローマを支えてきました。

その拡大が止まったということは、ローマにとっていわば〝呼吸〟が止まったようなものので、この状態をこのまま放置すれば、心臓が止まるのも時間の問題、という切迫した事態となります。

グラックス兄弟の改革

そこで、民主化闘争が再燃してきます。

これまでも貧富の差が広がるたびに民主化闘争が起こり、これを解決し、そして発展してきたのですから。

それが所謂《いわゆる》「グラックス兄弟(*14)の改革」です。

彼らは、250年前のリキニウス＝セクスティウス法のころ（367B.C.）の〝旧《ふる》き佳《よ》きローマ〟に戻そうとして、大土地所有に500ユゲラ（約125ha）以内という制限をかけ、それ以上の土地は国家に返還させ、これを没落民らに再分配させようとします。

これまで、こうした民主化闘争が起こるたびに貴族《パトリキ》は平民《プレブス》の要求を呑み、そのたびに国を発展させてきました。

その「柔軟さ」と「バランス感覚」こそがローマを支えてきた礎《いしずえ》でした。

しかし。

このときすでに旧き佳き時代の「貴族《パトリキ》」はおらず、巨万の富を得て私腹を肥やすことしか頭になくなっていた「新貴族《ノビレス》」や「騎士《エクイテス》」がいるばかり。

もはやこのときのローマは〝病、膏肓《こうこう》に入る〟で国益のことなど頭の片隅にもなく、ただ自己の利権を護ることとしか考えなくなっていた彼らは、改革の旗手を合法的に潰すことができないと悟るや(*15)、「共和国の敵」と罵倒《ばとう》し、あっさり「暗殺」という卑劣な非合法手段を選んでしまいます。

これは喩えるなら、「もはや手術《オペ》をするしか助かる途のない重篤患者（ローマ）がその担当医（グラックス兄弟）を自ら殺してしまった」ようなものでしたから、この瞬間、ローマ共和政の命運は尽きました。


（＊14）兄弟ともに護民官。兄ティベリウス＝グラックスが133B.C.に、弟ガイウス＝グラックスが123B.C.〜121B.C.にかけて改革を行いました。

（＊15）さきのホルテンシウス法で「平民会の決議は元老院の承認を必要としない」ことになっていましたから、元老院を牙城とする特権階級は合法的にグラックス兄弟の改革を止めることができませんでした。

こうして、これから約1世紀にわたり収拾のつかない大混乱(*16)を迎えることになります。

軍制改革の実施

こうして、没落した平民《プレブス》や無産市民《プロレタリウス》は参戦義務どころではなくなり、従来の市民原理（市民参政・市民参戦）に支えられた「市民軍」は再建不可能となりました。

それどころか、日々の生活が成り立たず塗炭《とたん》の苦しみにあえいだ市民たちが各地で反乱を起こすようになり、国家は断末魔の悲鳴をあげているというのに、政府中枢（元老院《セナートウス》）はこれらの山積する問題になんら対処することができず、ただただ日々私欲を貪《むさぼ》ることに汲々《きゅうきゅう》とするのみ。

反乱を鎮圧しようにも、そのための軍が崩壊しているのですから、秩序も何もありません。

軍制改革の必要性に迫られたローマは、富裕層（新貴族《ノビレス》・騎士《エクイテス》ら）がその巨万の富にモノを言わせて没落民（平民《プレブス》・無産市民《プロレタリウス》ら）を雇い入れる「傭兵軍団」を創設していきます(*17)。

こうすれば、軍が再編できると同時に、不穏分子の没落民を傭兵として吸収することができますから一石二鳥です。

■歴史法則06■
自己修正能力を失った組織は崩壊に向かう。
しかし、その前に「変質」というもう一段階を経《へ》ることがある。

地中海統一の達成！

まだ市民軍だったころは、「自分たちの家族、財産、農地、生活、そして祖国を護るために戦う兵士」でしたから、たいへん士気の高いものでした。

グラックス兄弟以前の共和国の拡大は、こうした「愛国心に満ちた屈強な市民兵」によって支えられていた、いわば〝健全な拡大〟だったのです。

しかし、傭兵軍団は違います。

彼らには忠誠心も愛国心も希薄で、ただ純粋に「給料《カネ》のために戦う兵士」ですから、戦

（＊16）　これを「内乱の一世紀（121B.C.～27B.C.）」といいます。
（＊17）　この軍制改革をローマで最初に始めたのがマリウス将軍です。

況が劣勢になればすぐに逃げ出しますし、もらっている給料以上には働きません。

カネ払いのよい将軍を見つければすぐにその下に走ります。

傭兵軍団を維持するためには、どうしても傭兵たちを満足させるだけの莫大な資金が必要となり、その財源確保のため、傭兵軍団はつねに戦争をしつづけるしかなくなっていきます。

こうして、国内は「内乱の一世紀」と呼ばれる動乱の時代であるにもかかわらず、傭兵軍団が積極的な対外戦争に明け暮れた結果、気がつけば「地中海統一」が達成されていました。

夢にまで見た「地中海統一」という人類史上空前絶後の大偉業は、「国内問題を解決し、そのみなぎる国力を外に向けた結果」達成されたのではなく、むしろその逆、「どうしても国内問題を解決できず、悶絶《もんぜつ》し、その崩壊を抑える一時凌《しの》ぎを戦争という形で補おうとした結果」だったのです(*18)。

ローマの崩壊を抑えている唯一の対症療法が「戦争」だったのですから、やがてその膨張が限界に達したとき、ローマの崩壊を止めることができるものは何もない、ということを意味しています。

ローマ帝国の領土

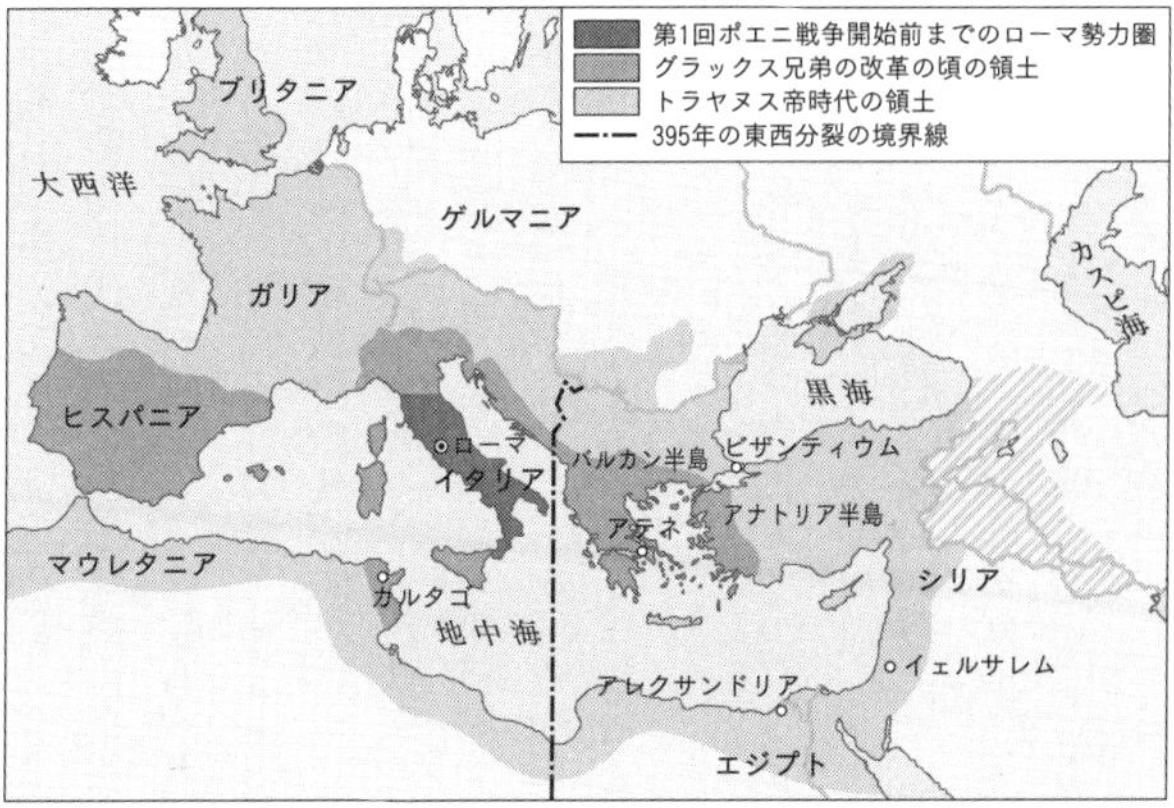

［ローマ共和国　崩壊の契機］
・殷富が富の偏在を生み、同時にローマ共和国の繁栄を支えてきた貴族たちの柔軟性を失わせ、自己修正能力を失った。
・市民兵はいなくなり、カネのために戦う士気の低い傭兵となった。

カエサル登場

このようにして、「中央（元老院《セナートウス》）が統治能力を失い、地方に軍団が割拠する」という状態が生まれましたが、これは日本や中国でいうところの「戦国時代」を彷彿《ほうふつ》とさせる状況です。

戦国時代はやがて統一王朝の到来によって幕を下ろすものです。日本で戦国時代を制したのは織田信長《おだのぶなが》、中国では始皇帝《しこうてい》ですが、彼らに相当する〝歴史的役割〟を担った人物がローマにも現れるはずです。

それこそが、あのユリウス＝カエサルです。

彼はいわば「新秩序の開拓者」。

旧秩序が崩壊しつつある今、新秩序を構築しなければなりませんが、それは〝旧秩序の中でしか生きることができない抵抗勢力〟(*19)との壮絶な戦いの歴史をも意味します。

日本の戦国時代を終わらせかけた織田信長も、そうした抵抗勢力(*20)によって亡ぼされましたし、中国の戦国時代を終わらせた始皇帝の創りあげた帝国も、やはり抵抗勢力の不満が爆発して短命に終わりました。

カエサルもまた彼らと同じように、旧秩序の中枢「元老院《セナートゥス》」を潰そうとして、抵抗勢力（共和派）に暗殺されてしまいます。

このときの彼の最期の言葉はあまりにも有名です。

――ブルートゥス！　おまえもか！

そして、このあとこうつぶやいたとも言われています。

――我が子よ……(*21)。

■歴史法則07■

旧秩序の破壊者、新秩序の開拓者は葬《ほうむ》られる。

ローマ帝国の成立

しかし、どんなに旧秩序の抵抗勢力が藻掻《もが》こうが、足掻《あが》こうが、「新秩序の開拓者」を

（＊18）人間に喩えれば、「健康的に身体が大きくなった」のではなく、「病気のためにぶくぶく太った」状態です。

（＊19）たとえば、「幕末維新のころの武士」を思い浮かべてもらうと理解しやすいでしょう。彼らは旧秩序「幕府」の中でしか生きていけない者たちなので、新秩序「明治」になっても抵抗をつづける者があとを絶ちませんでした。

（＊20）直接手を下したのは、信長の筆頭家臣・明智光秀《あけちみつひで》でしたが、彼のバックにいたのはおそらく「旧秩序」側の人間でした。

（＊21）ブルートゥスの母とカエサルは若いころ恋仲にあり、カエサルはブルートゥスが我が子ではないかと考え、たいそうかわいがっていました。

亡き者としようが、一度壊れた旧秩序が復活することはけっしてありません。
〝歴史の流れ〟が逆流することは決してないのです。(*22)

■歴史法則08■
たとえ「新秩序の開拓者」を葬ろうとも、「新秩序そのもの」を葬り去ることはけっしてできない。別の者によって継承されるのみ。

たとえ織田信長が本能寺に散ろうとも、ただちに豊臣秀吉《とよとみひでよし》が彼の事業を継承したように、また、始皇帝の創りあげた帝国(秦《しん》)が陳勝《ちんしょう》・呉広《ごこう》の乱の混乱の中で亡びようとも、ただちに劉邦《りゅうほう》が秦制を継承したように、カエサルが暗殺されようとも、その理想はただちに彼の養子オクタヴィアヌスによって継承されることになります。(*23)
それが「ローマ帝国」です。

旧秩序と融合した新秩序

とはいえ、旧秩序の抵抗勢力というのは思いの外《ほか》強いものです。
これらを徹底的に排除することはたいへんな困難を伴ううえ、ヘタをすれば新旧両勢力が熾烈な戦いの末に共倒れ、国自体が亡んでしまうことすらあります。

「開拓者」はなんとしても旧秩序を根こそぎ壊そうとしますが、ほとんどの場合それは失敗して短期政権に終わります。

カエサルも、織田信長も、秦朝も短期政権でした。

これを目の当《ま》たりにした「継承者」は、如何にして彼ら抵抗勢力を丸め込むか、妥協するかを模索するようになります(＊24)。

そこでオクタヴィアヌスは、自ら「皇帝」と名乗るのではなく、形式的ながらもあくまで旧秩序の権威・元老院《セナートゥス》を奉《たてまつ》り、自らは最高軍司令官《インペラトール》として〝旧秩序の擁護者〟という立ち位置を演出しました。

自分たちの地位が護られることを知った元老院《セナートゥス》議員らは無邪気に喜び、彼に「尊厳者《アウグストゥス》」


（＊22）表面的に「逆流」しているようにみえることはありますが、実際にはしていません。

（＊23）血縁的には、カエサルの姉（ユリア）の娘（アティア）の息子。

（＊24）ここでも「歴史法則01：何事にもバランスが取れた体制・システムが安定と長寿の秘訣。何かひとつの理念を「理想」としてそれに偏重した組織は、一面に強みを見せるが適応能力に弱く、短命に終わる。」が働いています。

如何に「相反する両者のバランスを取る」かが安定のコツとなります。

の尊称を与えようとすると、オクタヴィアヌスはこれを固辞。

――滅相もない！　畏れ多いことにございます。

私など、ただの〝市民〟のひとりにすぎません。

これは、あくまで自分が「共和国の擁護者」だという演出で、実際には、オクタヴィアヌスが裏から手を回して元老院《セナートゥス》にそう言わせたのですが（＊25）。

「開拓者」が総じて短命に終わるのも、「継承者」が総じて長期政権になるのも、じつはこうした共通の時代背景に拠ります。

旧から新へと移行する際、新が旧をことごとく破壊しようとすると、必ず失敗します。

フランス革命やロシア革命は、旧制度（ブルボン朝／ロマノフ朝）を徹底的に破壊しつくし、その王族を皆殺しにしました。

それが、その後の収拾がつかない混乱を招いたのです。

イギリス名誉革命や明治維新は、旧制度（スチュワート朝／天皇家）を温存しつつ、新時代との融和による問題解決を図りました。

それが、その後の発展を牽引することになります。

グラックス兄弟の改革失敗後のローマは、このまま混乱のうちに滅亡しても不思議ではありませんでした。

しかし、持ち前の〝バランス感覚〟がここでも本領を発揮し、旧秩序（共和政）と新秩序（帝政）との融和(＊26)に成功したため、もう400年寿命が延びることになります。

民主と独裁の政治バランス、貴族と平民の経済バランス、そしてここでも旧制度と新制度の融和バランス。

ローマが1000年の歴史を誇ることができたのも、ローマ人のこのバランス感覚のすばらしさに理由があったのでした。

――琵琶《びわ》の弦　締めれば切れるが　弛《ゆる》めりゃ鳴らぬ。

極端な選択をするものは、それが個人であれ、組織であれ、国家であれ、ロクな結果を生まないことは、悠久の歴史によって証明されています。

（＊25）後漢《ごかん》王朝末期、曹丕《そうひ》が献帝《けんてい》から帝位を譲られるとき、これを3度にわたって固辞しましたが、献帝にそう言わしめたのが曹丕本人でしたから、これを彷彿とさせる出来事です。

（＊26）〝共和精神を基盤とした帝制〟ということで、おなじ「帝国」でも中国の「帝国」とはまったく異質なものです。ちなみに、日本の歴史で喩えれば「幕藩体制」にも似ています。ローマの「元老院」が日本では「朝廷」、「アウグストゥス」が「将軍」にあたります。

〔ローマ再生の理由〕
崩壊期に入った組織が再生できるか消滅するかは、新旧システムの融和ができるかどうかにかかっているが、ローマは、カエサル、オクタヴィアヌス2代かけてこれを融合させた。

新興宗教の蔓延《まんえん》

こうして、政治的な混乱は「帝政」という新たなシステムによってひとつの安定を見ましたが、そもそもの元凶「決定的な貧富の差」という社会問題はなにひとつ解決していません。

政府は、没落民に最低限の「食糧《パン》と娯楽《サーカス》」を無償提供することで彼らの不満を和《やわ》らげるという、その場しのぎの弥縫策《びほうさく》に徹するのみ。

この問題を合法的に解決する手段はグラックス兄弟の改革の失敗で失われ、非合法手段（反乱）による動きは、軍団によって力ずくでねじ伏せられました。

合法的にもダメ、非合法でもダメ。

そうした絶望感が蔓延《まんえん》する社会の中で、未来に希望の持てない民がすがるのがいつの時代もどこの国も「宗教」です。

――信じなさい。

信ずる者は救われる。(*27)

ただし、〝救われる〟のは現世ではなく来世（神の国）。

この世で希望の見いだせない者たちは、あの世に希望を求めはじめるものです。

いわば心理学でいうところの「防衛機制」(*28)が働き、帝国内に蔓延していきました。

もしグラックス兄弟の改革が成功し、市民生活が安定していたなら、いかにパウロがローマの各地で説法して回ろうが、人々の心に響くことはけっしてなかったことでしょう。

そうなれば、イエスという人物が歴史に名を残すこともなく、キリスト教がローマ帝国に、そして世界に蔓延することもなく、その後まったくちがった「世界史」が展開していたに違いありません。

その意味で、このタイミングでイエスとパウロが現れたことは、歴史的にたいへん重要

（*27）『新約聖書』マルコ伝（16：16）。
（*28）もっと簡単な言葉を使えば「現実逃避」です。

な意味を持つことでした。

■歴史法則09■
人は絶望に追い込まれると妄想に救いを求めるため、国家が崩壊過程にあるときは新興宗教が跋扈《ばっこ》することが多い。

そしてそれが国を亡ぼす元凶となることも珍しくない。


そして、このキリスト教の蔓延はローマ帝国にとって致命的になります。

ローマ帝国は、建国当時の古き佳《よ》き体制や制度がつぎつぎと崩壊していき、通常ならそのまま滅亡していてもおかしくなかったのに、共和政から帝政へとその姿を変えながらも辛《から》くも延命していくことができたのは、偏《ひとえ》に「伝統的な古代ローマ精神」が一本の紐帯《ちゅうたい》となっていたためです。

これは日本の歴史で喩えると理解しやすいでしょう。

日本は、神代《かみよ》から始まる王朝時代から、幕府が支配権を握る武家時代を経て、近代国家、国民国家と、その時代に合わせて何度となくその〝姿〟を変えながらも「日本」としてのアイデンティティを保つことができたのは「天皇家」という紐帯があったからに他なりませんが、これに値《あたい》するのがローマでは「ローマ精神」だったのです。

しかし、キリスト教がローマ精神を全否定しながら蔓延したことによって、その紐帯を断ち切られたローマは、以降、収拾がつかない混乱の中で崩壊していくことになります。(＊29)

膨張、限界に達す

こうして、キリスト教による内からの侵蝕が始まっていたちょうどこのころは、膨らみきったローマの版図が限界に達していたころと一致します。

ローマの歴史を振り返ると、共和国創建から最初の400年間は、
①貧富の差の拡大という社会問題が民主化闘争を引き起こす。
②国内問題の解決に成功すると、膨張戦争を行って領土を拡大。
③領土が拡大したことが原因となって、ふたたび貧富の差の拡大。
④ふりだしに戻る。
……という歴史を繰り返してきましたが、ついに貧富の差を解決できなくなると、今度

（＊29）『ローマ帝国衰亡史』を著したことでも有名な18世紀の史家エドワード・ギボンは、これをローマ帝国滅亡の第一因に挙げているくらいです。

は、強引な対外膨張戦争を通じて社会問題を封殺するという、その場しのぎを繰り返すようになっていました。

つまり、すでにローマは、将棋でいえば「必至[*30]をかけられた棋士」と同じで、あとは「王手！」「王手！」とかけつづける以外、助かる途《みち》がまったくなかったにすぎません。

将棋を知らない人がその場面から見れば、「毎回王手をかけつづけている側が圧倒的優勢」のように見えながら、じつは逆であるのと同じように、「膨張」「拡大」をしつづけるローマは傍《はた》から見れば発展しつづけているように見えますが、じつは「自転車操業に入った企業」「止まったら死ぬマグロ」のようなもので、もはや膨張が止まればたちまち崩壊するという危機的状態にあったのです。

しかし同時に、「膨張は組織そのものを破壊する」要因となることはすでに学んできました[*31]（32ページ）。

物事すべて「適度」というものがあり、国家の規模も大きければ大きいほどよいというものではなく、一定の大きさを超えると急速に支配効率が悪化しはじめ、それが臨界点に達すると一気に崩壊が始まるものです。

■歴史法則10■
領域の拡大が臨界点に達したとき、一気に崩壊が始まる。

このときのローマも膨張を繰り返した結果、あまりにも巨大化しすぎてその長い防衛線を持て余すようになっていました。

その国境線の総延長は、なんと5000km(＊32)にもおよび、そこに配備された駐屯軍維持のための莫大な軍事費が国家財政を圧迫するようになります。

しかもその駐屯兵は、さきほども触れましたように、古き佳《よ》き時代の「市民兵」ではなく、忠誠心も愛国心も希薄な「傭兵」で、給与の支払いが少しでも滞《とどこお》ろうものなら、すぐに反乱を起こしかねないような者たちです。

(＊30)将棋の「必至」とは、詰みの一手前まで追い詰められた状態で、こちらが勝つためには、もはや王手の連続で相手を詰みに追い込むしかない状態のこと。
(＊31)「歴史法則04」急激な変化は、組織を破壊する。
(＊32)5000kmといえば、北海道最北端の稚内《わっかない》から九州最南端の鹿児島までが直線距離で1800kmですから、その3倍の距離です。

実際、辺境軍の反乱はあとを絶たず、初代皇帝アウグストゥスは、トイトブルクの森の戦い（9A.D.）の大敗を契機に、ついに膨張政策をやめることを決意します。

頻発する軍団の反乱

ついに膨張は止まりました。

しかし、膨張が止まったということは、それまで膨張を前提として成立してきた社会システムのすべてが悲鳴を上げはじめ、崩壊が始まるということです。

その最たるものがラティフンディウムです。

ラティフンディウムは、ローマが膨張するたびに大量・安価に安定供給される奴隷を大前提として成立していたため、奴隷の流入が止まったことでたちまち経営が悪化しはじめました。

ローマ帝国は、それから300年間かけてラティフンディウムに代わる新しい土地運営システムを模索して悶絶することになります。

ラティフンディウムの経営が悪化するということは、ここから上がる収益で支えられていた軍団も干上がることを意味し、彼らの俸給の支払いがままならなくなったことで、軍団の反乱も常態化するようになり、秩序は一気に弛緩《しかん》していきます。

ついには「今の皇帝が自分たちの生活を保障してくれないならば！」とばかり、各地軍団の傭兵らが自分たちの生活を保障してくれる新たな皇帝を勝手に擁立するようになり、各地に「皇帝」を僭称《せんしょう》する者たちがぞくぞくと現れる「軍人皇帝時代」という混乱期を迎え、帝国は断末魔の声を上げていくことになります。

傭兵軍団によって亡びた帝国

この収拾がつかない混乱で、もはやローマはいつ滅亡してもおかしくない状況となり、ディオクレティアヌスやコンスタンティヌスなどの〝英主〟が現れたときだけ、ほんの少しの安寧が生まれ、英主が亡くなるとたちまち四分五裂という状態が1世紀ほどつづきます。

しかし、これも一時しのぎにすぎません。

キリスト教によって破壊された「ローマ精神」という紐帯の代わりとして、「一個人の才覚」が一時的な紐帯となって、ローマを延命させていただけで、もはや「死の淵にあって心電図が途切れ途切れになった状態」にすぎません。

そして376年。

ゲルマン民族が大挙してローマ領内に押し寄せると、もはやローマにこれを止める力は残っておらず、その20年後の395年、帝国はまず東西に分裂し、それから80年ほどで西ローマ帝国はその傭兵軍団に反旗を翻《ひるがえ》されて滅亡していったのでした。

——武を以《もっ》て立った者は、武によって討ち滅ぼされる。

子飼いの傭兵軍団を背景にして打ち建てられたローマ帝国は、子飼いの傭兵軍団に討ち滅ぼされたのでした。

これを以て共和政成立（509B.C.）以来、古代ローマ1000年の歴史はついに終《しゅう》焉《えん》を迎えます。

片割れの東ローマ帝国はこれよりさらに1000年を生き存《なが》らえることになりますが、これはもはや「ローマ」という名を冠しているだけの「別の国」であり、ここで述べる話ではないでしょう。

［ローマ滅亡の理由］

・ローマ発展の基盤であり、ローマ唯一の紐帯であった「ローマ精神」がキリスト教によって破壊された。

・ローマの繁栄を支えた膨張が止まったとき、ローマの崩壊が始まった。

・傭兵軍団によって支えられた帝国は、傭兵によって亡ぼされた。

［第2章］

中華帝国

——中華思想を支えてきたもの

中国五千年の歴史⁉

前章で見てまいりました「ローマ帝国」がユーラシア大陸の西に覇を唱えていたちょうどそのころ、おなじユーラシア大陸の東にあって覇を唱えていたのが「漢帝国」(*01)です。

ローマがポエニ戦争(264B.C.〜146B.C.)を戦ってイタリア半島だけを支配する地方政権から世界帝国へと脱皮しようと藻掻《もが》いていたころというのは、中国でも7つの地方政権(七雄)がひしめき合っていた戦国時代から「秦帝国」という世界帝国が生まれ(221B.C.)、それが漢帝国に引き継がれていたころに一致しています。

巷間「中国五千年の歴史」という言い回しが使われることがありますが、これは中国政府が最近になって突然謳《うた》いはじめたもので、ほんの数十年前まで「三千年」だったのに、いつの間にか「四千年」になり、最近になって「五千年」を謳うようになりました。

ほんの数十年で、中国の歴史は2000年も長くなったわけですが、特に歴史を覆《くつがえ》すような古い遺跡が発見されたわけではありません。

中国文明は、殷《いん》(商《しょう》)から始まったころから数えても、せいぜい3500年前がいいところです。

世界帝国としての中国

とはいえ、殷周のころはまだ都市国家の集まりにすぎず、「領域国家」と呼ぶにふさわしい代物ではありませんでした。(＊02)

それが周辺諸国を併呑し、本当の意味で現在の中国の〝基盤〟となる帝国をつくったのが、今から2200年ほど前の「秦帝国(＊03)」ですから、現在の中国の源流は実質的にはここから始まったと見てよいでしょう。

では、秦はどのようにして「秦」たりえたのでしょうか。

秦による統一前は800年の長きに及ぶ「周代《しゅう》」（c.1046B.C.～256B.C.）ですが、周は前半の西周（c.1046B.C.～770B.C.）と後半の東周（770B.C.～256B.C.）に分かれ、さらに東周は紀元前403年を境として春秋時代と戦国時代に分かれています。

（＊01）正しい国号は「大漢」ですが、ここでは一般的な「漢帝国」を使用しています。

（＊02）「都市国家」は文明黎明期《れいめい》に出現した都市（点）を単位とした国家形態。時代が下り、そうした複数の都市国家を併呑・統合し、一定の広さ（点と点を線でつないだ面）を持つようになった国家のことを「領域国家」といいます。

（＊03）秦（チン）という国名が、英語の「China」、日本語の「支那」の語源となったといわれるほどです。

春秋時代初期には主要なものだけで140余国(*04)を数えた都市国家群も、370年にもおよぶ激しい統廃合を繰り返した結果、その末期にはたった7大国にまで絞り込まれてきます。

「七雄」と呼ばれたこの7大国、秦・韓《かん》・趙《ちょう》・魏《ぎ》・楚《そ》・燕《えん》・斉《せい》が覇を争った時代、それが「戦国時代」であり、これを制して初めて「世界帝国」として君臨したのが秦でした(76ページ地図参照)。

春秋時代には西の辺境の小国にすぎなかった秦が、何百もの国の中から勝ち抜いてきた七雄を制し、天下を獲ることができたのはなぜでしょうか。

たまたまではありません、結果にはすべて理由があります。

それは秦だけが他の国にはない政策を打ち出したからです。

新しい時代を切り拓く政策を。

「徳」による統治の限界

長期にわたってひとつの目標に向かって努力しているのに、一向に成果が出ないときがあります。

そうした場合、その原因はその人の能力不足でも、努力不足でもなく、努力の〝方向性〟が間違っているためであることがほとんどです。

春秋から戦国にかけて、どの国も「周に取って代わって天下に号令をかけたい」と願いながら、500年以上にもわたって誰も天下を獲ることができなかったのも、そこに原因のひとつがあります。

これまでの中国は、君主の「徳」によって統治されることが理想とされていました。

しかしそれは、国家はまだ都市国家レベル、農業は石器段階(＊05)、経済は総有制(＊06)、社会は共同体――という殷周時代に適した統治システムであって、すでに鉄器段階を迎え、それにより爆発的に農業生産力が高まって私有制が発生し、富の偏在が起こり(＊07)、領域国家となった新しい時代にはそぐわない古い統治システムです。

にもかかわらず、古い観念に縛《しば》られて時代に合わない古い統治をつづけていたため、当然、統治がうまくいかないにもかかわらず、何をどうすればよいのか分からず藻掻く。

（＊04）『春秋左氏伝』に登場する国の数。実際にはこの何倍もあったでしょう。

（＊05）すでに青銅器は発明されていましたが、これは折れやすく農具に適していなかったため、農業においては春秋時代の末期に鉄器が普及するまで、石器を使用していました。

（＊06）私有制が発生する前の経済段階。「すべての財産は社会全体のもの」という考え方。

（＊07）「歴史法則05」殷富［富み栄えること］は富の偏在を促し、富の偏在は秩序を破壊する。

そういう時代が春秋末期から戦国時代でした。

諸子百家の登場

そこで、こうした時代の要請によって「どうすれば統治がうまくいくのか」「どうすれば天下を獲れるのか」という方策《ノウハウ》を王に諭《さと》す政治学者たちがわらわらと現れるようになります。

全国の諸王は彼らを食客(*08)や家臣として召し抱えて、いろいろと助言を求めるようになっていきました。

それが所謂「諸子百家(*09)」です。

こうした数ある「百家」の中で、時代の要請にもっとも応えていたものが法家でした。

——法によって賞罰と刑量を明白にし、

信賞必罰を明確にすれば、たちまち治まるであろう。

これをどこよりも早く統治理念として広く採用したのが秦だったのです。

戦国時代に入ってまもなくのころ、時の秦王・孝公《こうこう》は、法家の商鞅《しょうおう》の献策を採用し、彼に全権を委任して法家の政治理念に基づいた抜本的政治改革を断行させました。

辺境の小国だった秦が一躍強国に躍り出たのは、それ以降のことです。

まわりの国々がいつまでも古い統治観念に囚《とら》われてモタモタしているうちに、いち早く新しい時代の波に乗れたことが、秦を一気に頂点へと押し上げていったのでした。

新時代を切り拓く者は〝破壊者〟

ところで、すでにローマの章でも学んでまいりましたように、古き世から新しき世を創成しようとする者は、どうしても「破壊者」でなければなりません（42ページ）。

新しい建物を建てようと思うなら、まず古い建物を壊さなければならないからです。破壊者になりきれない者は、けっして新時代を切り拓くことはできません。

孝公以降めきめきと力をつけてきた秦が、いよいよ長きにわたる分裂時代（古き世）から前人未踏の天下統一（新しき世）へと飛躍せんとするときに現れた秦王嬴政《えいせい》(＊10)もまたその例外ではありません。

（＊08）王侯などが「才人」と認めた者を養ってやる代わりに、いざというとき、その才を活用して主人に奉仕することを期待された者。商鞅や李斯《りし》も食客あがり。

（＊09）「諸子」とは、孔子《こうし》、老子《ろうし》、荘子《そうし》、墨子《ぼくし》などの学者のことを、「百家」とは、儒家、法家、道家、墨家、名家、陰陽家、縦横家、兵家などの学派のことを言います。

（＊10）姓は「嬴」、氏は「趙」、諱《いみな》は「政」、号は「始皇帝」。

その象徴的なものが君主号です。

これまで中国の君主号は「王」でしたが、王の支配する国をことごとく併呑した彼は、今までにないまったく新しい君主号「皇帝」(*11)を名乗ります。

これが以後、清《しん》滅亡の1912年まで、2000年以上にわたって施行される「帝国」の幕開けとなりますから、彼がその始まりということで「始皇帝」と呼ばれるようになりました。

また、それまでの伝統的な統治システム「封建制」は、功臣の一族に領地を与えて統治を代行させ、これを世襲させるというものでしたが、秦が全国統一を達成すると、あまりにも領土が大きくなりすぎて、この旧いシステムではうまく統治できません。

どうしても遠い辺境の領主まで目が行き届かず、すぐに独立されてしまうためです。

そこで、始皇帝の時代の宰相・李斯(法家)によって、中央から官僚を派遣して、これを地方長官とする新しい統治システム(郡県制)が献策され、これが採用されます(*12)。

辺境の小さな地方政権にすぎなかったローマが、地中海を〝我らが海《マーレノストロ》〟とするほどの大国になると、共和政から帝政に移行せざるを得なかったのとおなじで、小さな組織と大きな組織ではその運営方式が変わるため、統治システムも変えざるを得ません。

秦から本格的に始まったこの中央集権システムは、多少の修正を施しながらも現在まで脈々とつづきます。

他にも、これまで各地でバラバラだった度量衡、車幅、貨幣、文字などをすべて統一し、全国に幹線道路（馳道《ちどう》）(＊13)を整備し、運河を張り巡らせて、経済的統一も促進させました。

内には、法家を統治理念として、法に基づいて厳しく取り締まると同時に、4000kmにおよぶ万里の長城や、のちの紫禁城（明清）より大きな寝殿を擁する阿房宮《あぼうきゅう》、そして世界三大墳墓に数えられる始皇帝陵(＊14)など、つぎつぎと大土木事業を実施。

外には、北に南に対外膨張戦争を繰り返し、このときの秦の領域が歴代中国の基本単位

(＊11) その由来は、一般的に中国伝説上の8人の支配者の総称「三皇五帝」から採ったものと言われていますが、諸説あり、正確にはよく分かっていません。

(＊12) 郡県制そのものはすでに戦国時代から先秦を中心として実施されていましたが、これが全国で施行されたのはこのときが初めてでした。

(＊13) その全長は1万2000km。道幅は70mで3車線。往復路に加えて、その真ん中は皇帝専用道路として使用されました。

(＊14) 世界三大墳墓のうち、高さではクフのピラミッド、広さでは大仙陵古墳（仁徳《にんとく》天皇陵）、容積では始皇帝陵が世界一です。

となります。

〔秦帝国　発展の理由〕
政治理念として、他のどの国よりも早く時代にマッチした統治システム（法家）を採用した。

破壊者は歴史的役割を終えて消える

始皇帝は、これまでの古いやり方（周制）をことごとく否定し、新しい制度をつぎつぎと導入していきました。

しかし、旧い時代から新しい時代へと切り替わるとき、いきなりすべてを新時代のシステムにスパッと切り替えることは不可能であり、それを強行しようとする「破壊者」はかならず歴史によって抹殺されます。

■歴史法則11■
大きな時代の転換期には「過渡期」が必要となる。

かならず「新旧両時代の特徴を取り入れた折衷《せっちゅう》システム」を〝接着剤〟として新旧時代の間に挟まなければけっしてうまくいきません。

このことはローマの章でもじっくりと学んでまいりました（46ページ）。洋の東西はあれど、中国もおなじです。

世の中には旧いものに執着し、旧いシステムの中でしか生きていけない者も多くいます。

「破壊者」は、そうした者たちの怨み辛《つら》みを一身に背負う損な歴史的役割を担っているため、短命政権となる宿命を負うのです。

ローマにおいてカエサルがそうであったように。

日本において織田信長がそうであったように。

秦が天下を獲ることを支えた法家という思想は、君主の「徳」によって統治されることを理想とする古き佳《よ》き時代にそぐわず、時代の動きをまるで理解できない懐古趣味の者たちから激しい反発を喰《く》らうことになります。

「周を理想」とする儒学者たちはその急先鋒でした。

彼らは、口を開けば周制を理想に掲げて始皇帝に諫言《かんげん》します。

周制など、当時から遡っても８００年も前の旧いシステムであり、その周制がうまく機能しなくなったからこそ周は亡びたのに、こうした現実から目を背け、頭の中で妄想した〝理想論〟しか見えなかったのが儒学者でした。

これは喩えるなら、現代日本における政府批判の中で、「よって政治システムを８００年前の鎌倉幕府の制度に戻すべきである！」と叫んでいるのに等しい愚論・暴論です。

そこで始皇帝は、時代が見えていないばかりか、せっかく安定しつつある時代を逆行させることしか考えない、こうした儒学者の経書を焼き払わせ（焚書《ふんしょ》事件）、それでも批判をやめない儒者を生き埋めにします（坑儒事件）。

しかし、こうしたやりすぎは反発を喰らいます。

始皇帝が亡くなる（２１０B.C.）や否や、たちまち反乱（陳勝・呉広の乱）が起き、彼の死後３年と保《も》たずに帝国は亡ぶことになりました。

すべては歴史の法則通り(*15)です。

しかし旧に復すことはない

旧秩序を懐古する者たちが結集して旧に復するべく反旗が翻され、秦は亡ぼされました。

反乱の目的は達せられたのですから、その中から生まれた漢の御世《みよ》は「旧秩序に復した」のかと言えば、そうではありません。

結局、秦は倒れても、秦の構築した「新秩序」はほとんどそっくりそのまま漢帝国に引き継がれていくことになります。(＊16)

ローマの章で、旧秩序を破壊しようとしたカエサルを謀殺してみたところで、その継承者（オクタヴィアヌス）が現れただけで、けっして旧に復することはなかったように。

歴史には〝流れ〟というものがあり、その〝流れ〟に逆らうことは何人《なんぴと》たりともできないのです。

逆らえば、歴史によって抹殺されます。

（＊15）「歴史法則07」旧秩序の破壊者、新秩序の開拓者は葬られる。

（＊16）「歴史法則08」たとえ「新秩序の開拓者」を葬ろうとも、「新秩序そのもの」を葬り去ることはけっしてできない。別の者によって継承されるのみ。

統治システムの新旧融合

とはいえ、旧秩序をまったく無視したのではやはり成り立たないことも我々は学んでまいりました（45ページ）。

漢帝国がこれから前後４００年の長期政権になったのも「旧秩序を練り込んだ新秩序」を構築することに成功したためです。

それでは漢は、どのような「新旧融合」を成したのでしょうか。

まず統治システムとしては、「旧秩序の封建制」と「新秩序の郡県制」を併用した「郡国制」を採用します。

これは、すでに郡県制が根づいていた帝国西部（旧秦領）にはそのまま郡県制を敷き、旧態依然としていた帝国東部（旧六国）[*17]にはムリに郡県制を強制せず、昔ながらの封建制としたものでした。

こうして、帝国東部には建国を支えた功臣たちを「王」として冊封《さくほう》することで安寧を得ます。

しかし、こうした「融合システム」は一時のこと。

あくまで新旧時代の〝接着剤〟としての歴史的役割しかありません。

――劉氏に非《あら》ざれば王たり得ず。

まずは他姓の王侯に難クセをつけてはこれを改易《かいえき》し、その後釜には劉氏一族を据えていきます。

それは「彼なくして漢の統一はあり得なかった」と謳われた楚王・韓信《かんしん》ですらも例外ではありません。

――狡兎《こうと》死して良狗《りょうく》烹《に》られ、

高鳥《こうちょう》尽きて良弓蔵《しま》われ、

敵国破れて謀臣《ぼうしん》亡ぶ。（韓信最期の言葉）

こうして、初代高祖の晩年にははやくも王侯は劉一族で占められ、さらに景帝《けいてい》（第6代）のころには、呉楚七国の乱（154B.C.）を経てその実権すら奪い、もはや王侯と雖《いえど》も名前だけの存在となり、事実上は郡県制となんら変わらないシステムに組み替えられていきました。

これは日本では徳川《とくがわ》幕府のやり方にも似ています。

徳川幕府は開幕以来、何事につけ因縁《いんねん》をつけては諸大名を改易に追い込んでその跡地を天領（直轄領）としています。

（＊17）　戦国時代の七雄のうち、秦を除いたものを「六国」と言います。

開幕当初200万石だった天領は、最大450万石にまで膨れあがり、形は封建制でありながら実質的に中央集権に近い強力な政権になっていきました。

徳川幕府が長期政権となれた大きな要因です。

こうして、秦は亡びても秦のつくりあげた「新秩序」はこれから歴代王朝が何度興亡を繰り返しても脈々と生き続けることになるのです。

政治理念の新旧融合

さらに統治理念も融合が図られます。

秦が天下を獲ることができた大きな理由が、政治理念として「法家」を採用したことだということはすでに述べました（64ページ）。

しかし同時に、旧き価値観を護ろうとする懐古主義者たちの反発もすさまじいもので、それが秦を亡ぼした一因となったほどでした。

［秦帝国崩壊の一因］
秦に統一をもたらした法家が、秦を滅亡に追いやる一因となった。

そこで漢は、儒教を官学とします。

このころには、儒家は宗教化して「儒教」と呼ばれるようになっていましたが、基本は「周代を理想」とする懐古趣味の思想です。

では、漢が儒教を官学としたからといって、彼らが理想とする周制が復活したかといえばそうではありません。

漢は、儒教を換骨奪胎《かんこつだったい》して、新時代の統治に都合のよい思想だけを採用し、実際の統治は法家の理念をそのままに運営したのです。

名目的には「儒教」を謳って懐古主義者をなだめつつ、実質的統治は「法家」の精神で行う。

こうして、ここでも漢王朝は「新旧融合」に成功したのでした。

〔漢帝国　発展の理由〕

・統治理念の新旧融合に成功した。
・統治システムの新旧融合に成功した。

秦・前漢の領土

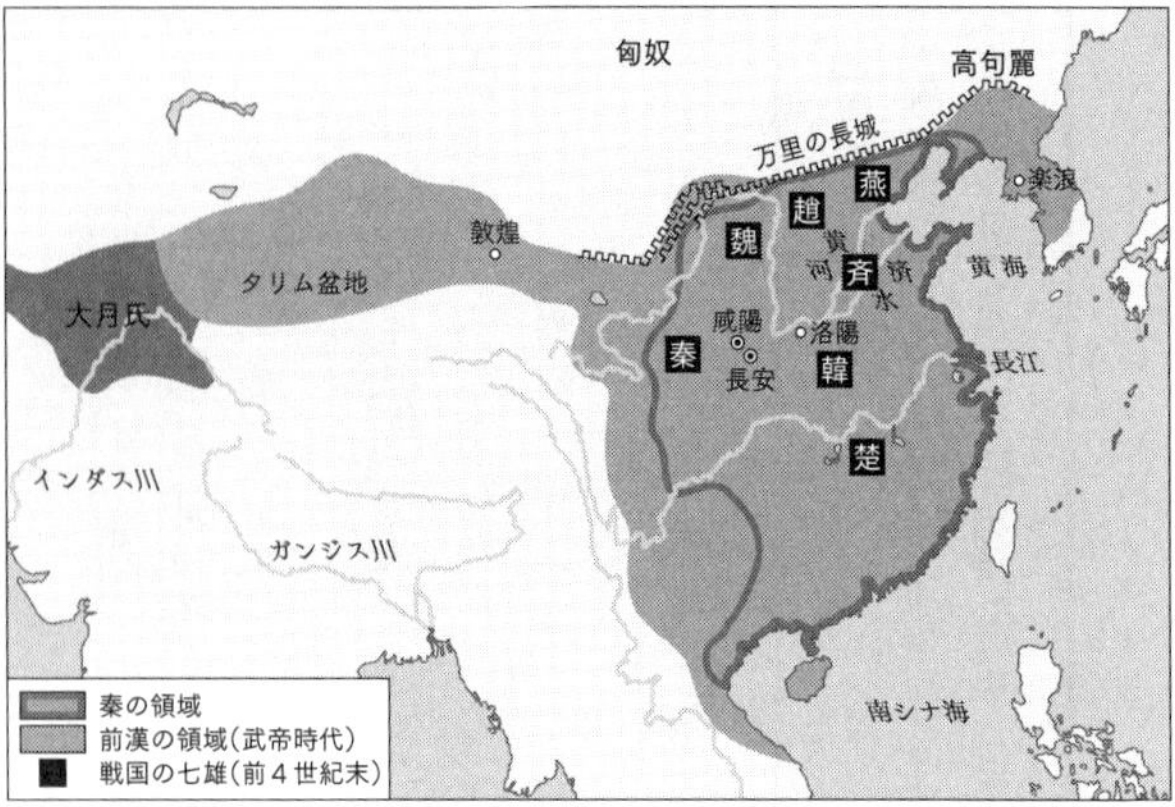

始皇帝の失敗

こうした融合政策の成功により、漢帝国は、第6代景帝のころまでにようやく国内を安定させることに成功します。

国内問題を解決した国がつぎに取る行動はひとつです。

それは、対外膨張戦争です。(*18)

秦の始皇帝の失敗のひとつは、まだ国内の統治も固まらないうちから対外膨張戦争を繰り広げたため、国内の歪《ゆが》みが一気に吹き出してしまったことです。

この反省から、漢は国内が安定するまで半世紀以上もの間、対外戦争をジッと堪えてきました。

その間、北の匈奴《きょうど》帝国が何度も挑発し、傍若無人な振る舞いもしてきましたが、「今は時に非《あら》ず」と匈奴に莫大な歳幣(*19)を支払いつづけ、降嫁(*20)までさせ、彼らの不遜《ふそん》な振る舞いに目を瞑《つむ》ってきました。

しかし、国内問題を解決し国力を充実させた今、これ以上我慢する理由はありません。

第7代武帝《ぶてい》の御世になったことを契機として、積極的な対外戦争に乗り出し、北は匈奴を討ち、西は中央アジア諸国をことごとく平らげ、南は北ヴェトナムまで攻め、東は北朝鮮を支配下とし、武帝1代で、先帝から受け継いだ領土は一気に2倍にもなり、絶頂を極めました。

しかし。

「絶頂を極めた」ということは、あとは下り坂しかないことを意味し、短期間のうちにそれほど領土が大きくなったということは、それによって国内の歪みが悲鳴を上げているということを意味する(*21)——ということはすでにローマの章でも学んでまいりました（32ペー

(*18)「歴史法則03」組織の安定は対外的膨張を促す。
(*19) ヨーロッパの「賠償金」にあたります。ヨーロッパでは「支払総額」が決められ、それを分割返済するのが通常ですが、中国では「年間支払額」が定められ、特に返済に終わりがないところに違いがあります。
(*20) 定期的に皇女を匈奴単于《ぜんう》（王）の妃として送っていました。いわば政略結婚です。
(*21)「歴史法則04」急激な変化は、組織を破壊する。

ジ）。

帝国支配の弛緩《しかん》

武帝治世前半の相次ぐ戦争で、領土は2倍になったものの、その代償も大きく、第5代文帝《ぶんてい》・第6代景帝と2代にわたって蓄えた潤沢な国庫は、はやくも破産寸前となっていました。

国家財政が悪化したとき、無能な政府が思いつくことはいつの時代もどこの国もおなじ、「増税」です。

■歴史法則12■

国庫が傾いたとき、その原因の問題解決を図ることなく、安易な増税に走る政府はほどなく亡びる。

逆に言えば、財政悪化の原因を解決することなく増税を掲げる政府は「無能」の烙印《らくいん》を押してよく、その国の余命は幾何《いくばく》もありません(*22)。

このときの漢もまた、安易な増税に走ります。

塩・鉄・酒の専売制の導入、人頭税（口銭・算賦）の増額、資産税（算緡《さんびん》）の適用範囲拡大、車輌税（算車・算船）や抑商税（平準法・均輸法）の追加、その他諸々、つぎつぎと増税をしていきましたが、これらのものはまだかわいい方で、さらには、貨幣悪鋳、売爵法、売官法、贖罪法――という、もはや増税のためなら〝なんでもあり〟状態となっていきます。

貨幣の悪鋳は、確かに一時的には国庫が潤《うるお》うのですが、その代償として社会経済を混乱させるだけですし、売爵法・売官法にいたっては「カネで爵位や官位を売る」というものですから、官位を買った者たちは〝任期中に元を取ろう〟として、領民に対してすさまじい苛斂誅求《かれんちゅうきゅう》の限りを尽くすため、これも長い目で見れば国力を疲弊させるだけです。

また贖罪法は「犯罪を犯してもカネさえ払えば免罪する」というものですから、資産家は悪事のし放題となります。

さんざん悪事の限りを尽くしてカネを稼ぎ、悪事が露見しなければ丸儲《もう》け、たとえそれが露見したとしても、悪事で儲けたカネの一部を払うだけで無罪放免なのですから。

（＊22）〝どこぞの国〟の政治家も、口を開けば「消費税増税」。この国も殆《あや》うい。

■歴史法則13■
限度を超えた増税は混乱を招くどころか、むしろ減収となり国家寿命を縮める。

いくら財源確保のためとはいえ、これで混乱に拍車がかからなかったら〝世界の七不思議〟です。

財政が悪化した原因そのものを取り除くこともせず、ただ安易に増税を繰り返せば、社会の歪みを悪化させるだけですが、武帝はそんな基本的な政治理念すら理解できない愚帝(*23)でした。

実態を無視しためちゃくちゃな増税により生活が成り立たなくなった農民たちが各地で反乱と逃散(*24)を繰り返すようになります。

ひとたび反乱が起これば、これを鎮圧するために軍を動員せねばならず、莫大な軍事費が露と消えていきます。

せっかく圧政苛政で搾《しぼ》りとった税もこれで使い果たしては本末顚倒《てんとう》。

さらに逃散されればされたで、無主［誰のものでもない］になった土地はつぎつぎと豪族に併呑され、いよいよ税収は激減していくことになります。

そのうえ、土地を棄てた逃散農民らは生きるために野盗集団と化し、この横行たるや郡守(＊25)すらも手に負えず、郡守は我が身かわいさに野盗と結託する有様。

武帝以降の社会紊乱《びんらん》

こうして武帝の晩年以降、社会は収拾のつかない混乱に陥るや、これと歩調を合わせるようにして、政界には佞臣《ねいしん》・冗官《じょうかん》・酷吏《こくり》・汚吏が跋扈《ばっこ》し、宮廷には宦官《かんがん》と外戚(＊26)が専横するようになります。

役人は法を恣意的に解釈し、これを盾として悪事のし放題。

（＊23）「前漢王朝絶頂期の皇帝」というキャッチフレーズに騙《だま》されて、武帝を「名君」と勘違いしている方は多い。しかしながら彼はまぎれもなく「愚帝」です。

（＊24）先帝（文帝・景帝）の遺産を食い潰しながら領土が最大になっただけのことです。

（＊25）農民が自分の土地を棄てて逃げ出すこと。

（＊25）「郡県制」における地方長官のこと。日本でいえば「県知事」に相当。

（＊26）「佞臣」とは不正な家臣のこと。「冗官」とは無駄な官僚のこと。「酷吏」とは法を盾にして悪の限りを尽くす役人のこと。「汚吏」とは収賄に手を染める役人のこと。「宦官」とは皇帝の身の回りの世話をする、去勢された者。「外戚」とは皇后の親戚。

■歴史法則14■
法は万能ではない。

これを理解できず、万能なものとして国家運営を図れば混乱を招く。


宦官・外戚はつねに幼帝を擁立することで自らの実権を確固たるものにしようとし、幼帝が物心がつくようになるとこれを暗殺し、またすぐべつの幼帝が立てられる——ということが繰り返されます。

そうした外戚のひとりとして登場したのが、王莽《おうもう》です。

彼は外戚ではあるものの、その末席の弱い立場でしたから、儒教的価値観を最大限利用することにしました。

質素な生活を送り、儒教の八徳(*27)を守った生活に徹します。

そうすることで、周りからの信望が集まり、「聖人君子」と称えられるようになり、これを背景として出世の足掛かりとしました。

しかし、そうした「聖人君子」の表の顔をして皆から賞賛されているその裏では、邪魔になった時の皇帝(哀帝《あいてい》・平帝《へいてい》)をつぎつぎと暗殺し(*28)、井戸に「安漢公《あんかんこう》(王莽)よ、皇帝となれ」という白石を仕込むなど、禅譲(*29)に向けての雰囲気作りのための卑劣な裏工作に余念がありませんでした。

■歴史法則15■
ホンモノの悪党というのは善人ヅラしている。

こうして、まだ2歳にもなっていない孺子嬰《じゅしえい》を擁立することに成功するや、自ら「摂皇帝」と名乗るまでになりました。

もはや彼が帝位を狙っていることは誰の目にも明らかです。

その2年後には「仮皇帝」を名乗り、さらに高祖廟から「王莽は真の皇帝なり」と書かれた銅箱が発見されるや(*30)、「高祖の霊より禅譲の意志を受けとった」として〝渋々〟皇帝

(*27) 仁・義・礼・智・忠・信・孝・悌の8つの徳。

(*28) 宮廷の奥深い中での出来事なので確たる証拠はありませんが、さまざまな状況証拠から一般的にそう認識されています。

(*29) 皇帝（or 王）が自分の地位を世襲させずに、有徳者に譲ること。

(*30) もちろん王莽が仕込ませたものです。

に即位することを承諾。

まだ4歳の孺子嬰から帝位を譲り受ける禅譲式において、王莽ははらはらと涙を流しながら嬰の手を取り、「お許しくだされ。しかし天命には逆らえませぬ！」と嘆いてみせました。

こうして漢は亡び、国号は「新《しん》」と改められます。

[漢帝国　衰亡の理由]

・法家を統治システムとして採用した結果、「法」を恣意的に解釈し、これを盾として悪事の限りを尽くす酷吏が蔓延した。

・儒教を官学とし、広く浸透した結果、民間信仰と融合した讖緯《しんい》説が生まれ、この理念によって亡ぼされることに。

儒教と法家の見事な〝融合〟によって発展してきた漢帝国は、その儒教と法家が滅亡に大きく寄与したのは皮肉でした。

傭兵軍団によって生まれたローマ帝国が、傭兵軍団によって亡ぼされたように。

■歴史法則16■

その国の成立・発展の礎となったものが、その国の衰退・滅亡の原因となっていく。

新帝国の末路

こうして、漢王朝は佞臣によってあっけなく簒奪《さんだつ》されましたが、それも王朝の退廃と紊《びん》乱《らん》と混乱の果てのことでしたから、民は「新」しい時代に期待をかけました。

ところがこの王莽という人物は、裏から手を回し、悪辣《あくらつ》な陰謀を巡らせる権謀術数《じゅっすう》にかけては天下一品だったものの、政治家および軍人としては無能きわまりなく、王朝は建国早々たちまち傾きます。

彼が「儒教的価値観を最大限利用」して「聖人君子」の仮面をかぶることで、部屋住みの身からここまで出世してきたことはすでに触れました（82ページ）。

彼にとって儒学はあくまでも「出世の道具」だったはずでしたが、人々に自分を「聖人君子」と思わせるため、永年にわたって徹底的に儒教的価値観を実践した結果、「ミイラ取りがミイラに」なってしまったようです。

彼は、新帝国の玉座に座るや、儒学の理想である「周制」をつぎつぎと復活させようとしたのです。

■歴史法則17■
歴史の流れに逆らう者はかならず歴史によって屠《ほふ》られる。

地名や役職名を片端から周代のものに改めて混乱を招いたなどはまだマシ、国家の根本である土地政策を周代に行われていた「井田制」(*31)に引き戻そうとするなど、あまりにも現実離れした政策は常軌を逸するほどでした。

そもそも「井田制」など、まだ世の中に私有制がなかったころの土地政策であり、王莽の時代、私有制どころか豪族（大土地所有者）が跋扈している時代にうまく機能するはずもありません。

現代日本に「墾田永年私財法」を実施しようとしているようなものです。

帝国の名こそ「新」でしたが、実際の政策は「古」ばかりという、笑い話にもならない滑稽さで帝国はアッという間に大混乱に陥り、全国各地に反乱（赤眉《せきび》の乱・緑林《りょくりん》の乱など）を招くことになったのも、当然の帰結でした。

ついに緑林軍が長安に迫ったとき、王莽は「大の男が天に向かって大声で泣き叫べば、天帝［神様］が憐れんで味方してくれる」と百官を集めて大声で泣かせてみたり、いよいよ反乱軍が城内に乱入しはじめるや、威斗(＊32)を掲げ、「天は朕を皇帝に選べり！　漢兵ごときが朕に何ができようか！」と叫ぶなど、このころの王莽はすでに正気を失っていたとしか思えない言動が相次ぎます。

分不相応な地位に就いた者の末路は悲惨です。

［新帝国　興亡の理由］
儒教精神を利用して王朝の簒奪に成功し、儒教政策の失敗によって亡んでいった(＊33)。

（＊31）　900畝（約16ha）の土地を9つに分け、そのうち8つを私田、残りのひとつを公田として8家で耕作させ、公田から上がる収益を納税させるもの。これを王莽は自分の姓をかぶせて「王田制」と呼びましたが。

（＊32）　5種類の鉱石で北斗七星を象《かたど》ってある、ひしゃくのような形をした銅製のまじない道具。

（＊33）　「歴史法則16」その国の成立・発展の礎となったものが、その国の衰退・滅亡の原因となっていく。

後漢王朝の再建

こうして、建国からわずか15年で新帝国は亡び去ります。

王莽の首級を取った緑林の乱の中から頭角を顕《あらわ》し、天下を獲ったのは、前漢第６代景帝の末孫《まつそん》・劉秀《りゆうしゆう》です。

彼は漢王朝を復興し、その初代皇帝・光武帝《こうぶてい》となりました。

これが所謂「後漢」です。

しかし、後漢も前漢とおなじような命運を辿っていきます。

成人で即位した皇帝は、後漢２００年12代の皇帝の中で、初代光武帝と第２代明帝《めいてい》のみ、第３代以降は即位時全員未成年で、中には０歳（生後１００日）で即位した皇帝（殤《しよう》帝《てい》）までいました。

その治世年間も総じて短く、１年前後という皇帝[*34]も珍しくなく、中にはそもそも皇帝でなかったことにされた者[*35]まで出る有様。

それもこれも、前漢同様外戚が跋扈し、幼帝を立てて専横し、都合の悪いことがあればすぐに毒殺してしまうためです。

外戚vs宦官

外戚の専横をなんとか抑え込みたいと望んだ皇帝も、たいていは先手を打たれて毒殺されるのが関の山。

たとえば、質帝《しってい》（8歳）などは当時の外戚（梁冀《りょうき》）のことをポロッと「跋扈《ばっこ》将軍」と漏らしただけで毒殺されています。

ひさしぶりに物心のついた皇帝が即《つ》いたのが桓帝《かんてい》（即位時満13歳）。

彼は宦官を味方に付けることで、外戚の排除に動きます。

これは功を奏し、ようやく外戚の排除に成功したものの、今度はたちまち宦官が腐敗し、外戚が専横していたとき以上の汚職が猛威を振るうようになります。

■歴史法則18■
権力はかならず腐敗する。これを防ぐ手立ては存在しない。

（＊34）殤帝が在位8ヶ月、冲帝《ちゅうてい》が在位5ヶ月、質帝が在位1年5ヶ月。
（＊35）少帝懿《しょうていい》。生年すら分かっていません。在位200日。

いつの時代でもどこの国でも、与党政権の腐敗が発覚すると、野党はここぞとばかりに攻撃するものですが、よしんばそれによって与党が倒れ、野党が政権を握ったとて、それによって政治が清廉潔白になるかと言えば、そういうことはけっしてありません。

昨日までの野党が今日から与党となれば、それまで猛烈に批判・攻撃していた汚職をせっせと始めるからです。

そして今度は、野党に陥落した元与党が、現与党の腐敗を攻撃します。

人類の歴史はその繰り返しといっても過言ではありません。

このときの後漢王朝でも、外戚を権力の座から引きずり下ろした宦官がたちまち腐敗するや、今度は宦官を官僚が批判し、これに外戚が加わり、三つ巴となって政争が始まります。

有名な「党錮《とうこ》の禁」(*36)はこの政争の一環として起こりました。

そして、この混迷の中から「三国志」の初期を彩る者たちが現れます。

大将軍何進《かしん》は外戚出身、のちに魏王となる曹操《そうそう》は宦官出身です。

宮廷がこうした政争に明け暮れる一方、国土は荒れる一方となり、やがて絶望感が世を覆《おお》う中、民の心は宗教に奪われるようになります。(*37)

それが「太平道《たいへいどう》」や「五斗米道《ごとべいどう》」といった道教系の教団です。

　184年、太平道の指導者・張角《ちょうかく》は「黄巾《こうきん》の乱」を起こし、この混乱により漢帝国の権威は失墜し、群雄割拠の「三国志」の時代に入り、その中で漢帝国400年の歴史は閑《しず》かに幕を閉じることになります（220A.D.）。

漢帝国以降の中国史

以降、現在に至るまで、何遍となく新しい王朝が生まれては消え、消えてはまた生まれていくことになりましたが、基本的本質的にはこの繰り返しにすぎません。

■歴史法則19■
歴史は繰り返す。延々と。

（＊36）党錮の禁は2回（166A.D.と169A.D.）あり、宦官が官僚を出仕禁止とした事件。第二次では、官僚と外戚が組んで宦官を排斥しようとしたが失敗している。

（＊37）「歴史法則09」人は絶望に追い込まれると妄想に救いを求めるため、国家が崩壊過程にあるときは新興宗教が跋扈することが多い。そしてそれが国を亡ぼす元凶となることも珍しくない。

漢帝国が亡んだあと、時代は「魏晋南北朝」と呼ばれる400年にわたる長い長い戦乱時代を迎えることになりますが、これは「春秋戦国時代」が思い起こされます。

ようやく「隋《ずい》帝国」によって天下統一が果たされたかと思いきや、その隋は30年と保たずに滅亡。

これは春秋戦国時代という長き戦乱時代に終止符を打ちながら、たった15年で亡んでいった「秦帝国」を彷彿とさせます。

そして、隋を倒した次なる王朝「唐《とう》帝国」は以降300年という長期政権となって、東アジア世界に覇を唱えますが、これは秦を亡ぼしたあと400年の栄華を誇った「漢帝国」をイメージさせます。

さらに漢と唐を比較すると、たいへん興味深い。

「漢400年（202B.C.～220A.D.）」とは言っても、そのちょうど真ん中あたりで簒奪者（王莽）が現れて、国号を「新」と改めたため、漢王朝は前漢200年、後漢200年に分かれて中断していますが、唐もこれとそっくりな歴史を辿っています。

「唐300年（618A.D.～907A.D.）」とは言っても、やはり途中で簒奪者（則天《そくてん》武后《ぶこう》）が現れて、国号を「周（690A.D.～705A.D.）(＊38)」と改めたため、唐王朝は前半100年と後半200年に分かれています。(＊39)

しかも、2人の簒奪者はどちらも外戚系で、どちらも「周」に憧憬《どうけい》の念を抱き(＊40)、そしてその簒奪王朝が「15年」で亡んだところまでそっくりです。

このように「長い戦乱時代→短期政権→長期政権」というパターンは、歴史上随所に現れます。

すでに触れたように、ローマでは「内乱の一世紀→カエサル→帝政」、日本では「戦国時代→織豊《しょくほう》政権→徳川幕府」がこれに当たります（45ページ）。

そして、ひとつひとつの王朝を見てみると、

（＊38）古代の周（西周・東周）と区別するため、一般的には「武周」と呼ばれます。

（＊39）ただし、こちらは「前唐」「後唐」とは呼びません。「武周」革命以前の唐皇帝（中宗《ちゅうそう》・睿宗《えいそう》）が、唐王朝復古後に重祚《ちょうそ》（復位）しているため。

（＊40）王莽が周制を復古しようとしたことはすでに見てまいりましたが（86ページ）、則天武后も自らを「周室の末裔」と僭称するほど、周にあこがれていました。

①戦乱の時代によって全国の国土は荒廃し、人口が激減する。
②統一王朝が生まれ、戦乱は収まり、社会は安定し、農業生産力が向上する。
③人口が増えて農地が足らなくなり、対外膨張戦争が国庫を圧迫する。
④増税による農民の窮乏で反乱が相次ぎ、混乱のうちに滅亡。

……というパターンを繰り返しています。

戦乱時代においては、人口の多寡《たか》で国力が定まりますから、この時代はとにかく「産めよ、増やせよ、地に満てよ！」と躍起《やっき》になりますが、ひとたび統一王朝となるや、社会経済の安定を背景として爆発的に人口が増え、やがてそれを支えきれなくなって崩壊していくのです。

■歴史法則20■
荒廃の時代、人口を増やすことが国を安全へ向かわせるが、安定の時代になると、その増えすぎた人口が国を亡ぼす。

中華思想

　このように、何度王朝が交替しようとも、基本的な王朝興亡の流れは変わることはありませんでしたが、もうひとつその根底には滾々《こんこん》と「中華思想（華夷思想）」が流れていました。

――我が漢民族がもっともすぐれた民族であり、
　我が漢文化がもっとも高度な文化であり、
　我が中華帝国が世界の中心である。

　こうした自民族中心主義《エスノセントリズム》はどこの民族でも多かれ少なかれあるものですが、中華思想のそれは他と比べても極端なものでした。
　自民族を「華」とし、北方の民族を「狄《てき》」、東方の民族を「夷《い》」、南方の民族を「蛮」、西方の民族を「戎《じゅう》」と蔑み(*41)、中国から遠ざかれば遠ざかるほど野蛮性が高まり、やがて人

（*41）狄は「犬畜生」、夷は「ムジナ」、蛮は「虫ケラ」、戎は「ケモノ」の意。総称して「東夷・西戎・南蛮・北狄」。この思想が日本にも入ってくると、京都からみて東（東北地方）は「夷《えびす》」と呼ばれたため、「征夷大将軍」の由来となり、ポルトガルなどのヨーロッパ人は南の海を割って来日したため「南蛮」と呼ばれるようになりました。

ですらない半妖半人となっていき、さらに遠ざかれば弱い妖怪、遠ざかれば遠ざかるほど強い妖怪の世界が広がるという世界観で、孫悟空《そんごくう》が活躍する小説「西遊記」などはまさにそういう中華思想の世界観で描かれています。

中国皇帝は天帝［神様］から天命［神の御命令］を受けた地上唯一の支配者であり、したがって「国境」などという概念は持ち合わせておらず、いわば「人間の住んでいるところすべての土地が中国」という考え方です。

したがって、19世紀に入り、アヘン戦争（１８４０～42年）で完膚なきまでに敗れておきながら、当時の英王ヴィクトリアを「英虜女酋《えいりょにょしゅう》（イギリスとかいう蛮族の女酋長）」と呼んでいたほどです。

辺境の蛮族の支配者など「王」ですらない、ただの「酋長」だというわけです。

しかし、そうした「高いプライド」を維持するためには、それに見合うだけの「実力」を兼ね備えていなければなりません。

個人でも民族でも国家でも「実力という支えを持たないプライド」は、周りに対して異様に攻撃的になり、痛いところを突かれるとヒステリーを起こす癇癪《かんしゃく》持ちになるだけです。

たとえば洪秀全という男

清朝中期に洪秀全《こうしゅうぜん》という人物がいました。

彼は幼少より「秀才」の誉《ほま》れ高く、周りからは科挙及第どころか状元《じょうげん》(＊42)すら狙えるとチヤホヤされつづけて育てられたため、本人もまたその気になって異常に高いプライドを持つようになります。

ところが。

田舎の秀才、町に出ればただの人。

片田舎では彼は優秀だったかもしれませんが、いざ試験を受けてみれば、科挙の状元どころか、そもそも科挙の受験資格を得るための予備試験(＊43)にすら合格できない有様。

そこで〝身の程〟を悟ることができればよかったのでしょうが、すでに構築された高いプライドを彼はどうしても拭《ぬぐ》い去ることができず、苦悩し、悶絶し、ついには癇癪《ヒステリー》を起

(＊42)科挙は、郷試（地方試験）→会試（中央試験）→殿試（最終試験）と三段階に分かれ、この最終試験の殿試で1位を取った者を「状元」、2位を「榜眼《ぼうげん》」、3位を「探花《たんか》」と呼び、この上位3名には権貴栄達が約束されました。

(＊43)科挙は、予備試験の県試→府試→院試という三段階の試験に合格して初めて受験資格を得ることができましたが、洪秀全はこれにすら何度も落ちています。

こして、塾の教室に飾られていた孔子像を斧で叩き割るという挙に出、そして叫びます。

「我こそはイエス・キリストの弟なり！」

もはや自分のプライドを守るためには「自分は選ばれた特別な人間だ」という妄想にすがるしかありませんでした。

子供のころから洪秀全を知る人たちは、「あ〜あ、とうとうイッちゃったかぁ……」と嘆息、憐れみましたが、これがあの「太平天国の乱(*44)」へと発展していくことになります。

中華思想を支えた軍事力

ひとたび「自分の実力に見合わない高いプライド」を持ってしまうと、その末路は悲惨だという好例ですが、当時の中国の場合、そうした高いプライド（中華思想）に裏打ちされた〝実力〟を持っていました。

中国が他を圧倒する経済力を有していたからです。

経済力は、人口を支え、軍事力を支え、文明を支えます。

こうした周辺諸国を圧倒する経済力・軍事力・文明度に裏打ちされた「中華思想」は中国人の心の奥底に深く根を張っていくことになります。

しかし豊かであるということは、周辺の貧しい土地に住む諸民族から羨望され、侵掠《しんりやく》の対象となるため、身を護るためにもどうしても「軍事大国」にならざるを得ません。
したがって、歴代中国王朝は、東アジア世界のどこの国より軍事大国でありつづけました。

兵農一致から傭兵制へ

ところが、軍事費ほど国家財政を逼迫《ひっぱく》させるものもありません。

■歴史法則21■
経済大国は軍事大国とならざるを得ないが、軍事費は財政を蝕《むしば》む。

そこで歴代王朝は基本的に「兵農一致」を原則としました。
これは、平時には「農民」と同じように農業で生計を立てさせ、戦時には「兵士」とし

（＊44）19世紀半ばの清朝で華南を中心に起こった農民反乱（1851～64年）。このころの日本はちょうど幕末で、まさに内憂外患で清朝が衰えゆき、欧米列強に打ちのめされていく様を目の当たりにして危機感を募らせ、維新へと繋がっていくことになります。

て自弁で従軍させるシステムで、軍事費の負担が軽いうえ、自分の農地を守るために戦うので士気も高いという利点があったからです。

ところが、この兵制は巨大な帝国には向きません。あまりに領土が大きくなりすぎると、自分の田畑から遠く離れて兵役に就かねばならなくなるため兵士の負担が大きくなり、また「自分の田畑を守る」という意識がなくなり士気がいちじるしく落ちるためです。

唐帝国は国内の安定を背景に未曾有《みぞう》の大帝国となりましたが、それが国内にさまざまな歪みを呼び込みます。(＊45)

唐王朝は「府兵制」という兵農一致の兵制が採られていましたが、あまりにも領土が大きくなりすぎたために、このシステムではうまく機能しなくなってきていたうえ、殷富は富の偏在を促し、(＊46)大土地所有者が権勢を極めるようになり、彼らが小農を没落させることで、そもそも府兵の義務が果たせる農民がほとんどいなくなってしまいます。(＊47)

このあたり、ローマ共和国の歴史で「市民参戦」の原則が崩壊したときの動きと酷似していますが、その後のローマが傭兵制へと移行せざるを得なかったのと同じように、唐王朝も好むと好まざるとにかかわらず傭兵制（募兵制）へと移行していくことになります。

しかし傭兵軍というものは、莫大な経費を必要とするため国家財政を逼迫させるばかりか、総じて忠誠心も士気も低く、その刃はどちらを向くか分かったものではなく、不満があればすぐに反乱を起こすというたいへん殆《あや》うい存在です(＊48)。

現に、唐では「安史《あんし》の乱（７５５Ａ．Ｄ．〜63Ａ．Ｄ．）」という節度使(＊49)の反乱が起きて、帝国は滅亡寸前にまで追い込まれています。

以後、唐は各地に藩鎮(＊50)（傭兵軍団）が割拠する動乱の時代を迎え、混乱のうちに亡んでいくことになりました。

軍備縮小がもたらしたもの

このように、軍事大国でありつづけた中国は、唐王朝初期までは「兵農一致制」でバランスを保っていたものの、中唐以降は「傭兵制」とともに軍部が肥大化し、そして自滅し

（＊45）「歴史法則03」組織の安定は対外的膨張を促す。「歴史法則04」急激な変化は、組織を破壊する。

（＊46）「歴史法則05」殷富［富み栄えること］は富の偏在を促し、富の偏在は秩序を破壊する。

（＊47）「内乱の一世紀」のころ。

（＊48）ローマでは、傭兵軍団の反乱が相次ぐ「軍人皇帝時代」がそうでした。

（＊49）募兵軍団の司令長官。

（＊50）募兵軍団が半独立化したもの。

ていきました。

唐滅亡（907A.D.）後、各地に割拠する藩鎮は、自分たちにとって都合のよい人物を勝手に皇帝に擁立する――ということを繰り返したため、それからわずか半世紀の間に、15もの帝国が濫立《らんりつ》するという混迷時代を迎えます。

これが所謂「五代十国時代」ですが、まさにローマ史でいうところの「軍人皇帝時代」そっくりです。(＊51)

これまで中国は、「中華思想」の支えとして軍事大国でありつづけてきましたが、その行きついた先が、軍部の肥大化とその割拠、それによる動乱です。

こうした歴史的な流れの中で、やはり将兵たちに擁立されて皇帝となった趙匡胤《ちょうきょういん》は、この負のスパイラルを断ち切るため、大ナタを振るうことを決意します。

すなわち軍備縮小。

――好鉄不打釘（良い鉄は釘にならず）

好人不当兵（良い人は兵にならず）

節度使から軍権を剝奪《はくだつ》し、武断政治から文治政治へ転換します。

これは「言うは易し、行うは難し」ですが、彼は見事な詭計《きけい》を以てこれを成し遂げたといわれています。

ある日、太祖（趙匡胤）は節度使たちを酒宴に招き、宴もたけなわとなったころ、ポツリとつぶやきます。

――朕は天子となって以来、一度たりとも枕を高くして眠ったことがないのじゃ……。

節度使のひとりが訝《いぶか》しげに訊ねます。

「これはこれは。今や天下を平らげた陛下にお悩みごとがおありでしょうか？」

――お前たちがいつ何時、朕の寝首をかくかもしれんと思うとな。

「お戯れを。天命はすでに定まってございます。

今さら誰が異心を抱くことなどありましょうや」

――なるほど、今はそうであろう。しかしじゃ。

そちたちに黄袍《ファンパウ》(＊52)をかける部下がおったなら、どうじゃ？

「我々は如何にすれば、その疑いを晴らすことができましょうか」

――兵権を棄てるより他、朕の疑念は晴れることはあるまい。

これにより翌日、節度使たちはぞくぞくと辞職願を提出したと言います。

（＊51）「歴史法則18」権力はかならず腐敗する。これを防ぐ手立ては存在しない。
（＊52）皇帝だけが羽織ることができる羽織。

しかし、こうして節度使から軍権を奪い、兵から誇りを奪いさることは、「軍部の弱体化」を意味し、それが中国の歴史を大きく変えることになります。

〔宋王朝　安定の理由〕
暴走する軍部を弱体化させ、君主独裁体制を築きあげることに成功した。

中国史の大転換点

中国史を古代から現代まで大きく俯瞰《ふかん》すると、「唐以前の中国史」と「宋以降の中国史」では歴史の流れが大きく変わり、それまでの歴史原則が通用しない部分が多々顕れるようになるのはそのためです。

まず第一に、これまでの「長い戦乱時代→短期政権→長期政権」というパターンの繰返しではなくなり、宋以降は「漢民族王朝→異民族王朝→漢民族王朝→異民族王朝(*53)」というパターンに変化します。

帝都も、以前は「長安《ちようあん》周辺を原則としてたまに洛陽(*54)」というパターンでしたが、宋を挟んで、以降は「北京《ペキン》を原則としてたまに南京(*55)」というパターンに変わります。

北方民族の変化

さらに、こうした中国側の変化に加え、タイミングを同じうして北方民族にも大きな変化が起こりました。

それは、唐以前までに中国に建国した北方民族は「浸透王朝」であったのに対して、宋以降は「征服王朝」に変化したということです。

「浸透王朝」とは、北方民族でありながら中国本土に拠点を移し、これを支配するようになるや、先祖伝来の故地を棄て、自民族の言語・文字・風俗・文化も棄て、外観からは「漢民族王朝」と区別がつかなくなってしまうほど漢化されてしまった王朝のことです。

これに対して「征服王朝」とは、中国本土に拠点を移し、これを支配するようになっても、故地を棄てることなく、自民族の言語・文字・風俗・文化を棄てず、両文化の共存を図ろうとした王朝のことです。

（＊53）具体的には、宋→元《げん》→明《みん》→清。

（＊54）長安周辺：周（鎬京《こうけい》）・秦（咸陽《かんよう》）・前漢（長安）・隋（大興《たいこう》）・唐（長安）
洛陽：後漢・西晋・北魏

（＊55）北京：元・明（3代以降）・清・中華民国（軍閥政府）・中華人民共和国
南京：明（初代・2代）・中華民国（国民政府）

この「征服王朝」の出現により、中国の歴史は大きな転換点を迎えることになったのです。

初の征服王朝・遼

宋王朝が「文治主義」へと大きく舵《かじ》を切ったころ、その北方（モンゴル高原）の覇者は契丹《きったん》族の「遼《りょう》」でした。

遼は、まだ中国が「五代十国」の混迷にあるとき、その混乱にうまく立ち回り、中国の領土の一部「燕雲《えんうん》十六州」を得ていました（936A.D.[*56]）。

これまでの常識では、北方民族が中国の領土を手に入れたとき、「浸透王朝」となるはずでしたが、遼はそうなりませんでした。

彼らはあくまで故地（モンゴル高原）も棄てず、自民族の言語・文字・風俗・文化も棄てることなく、その両方を支配することを試みます。

しかし。

モンゴル高原は、移住生活を基本とする遊牧民の住む草原地帯。

燕雲十六州は、定住生活を基本とする農耕民の住む田園地帯。

当然、その統治形態はまったく違い、両地域を「ひとつの制度」で統治するのは不可能です。

そこで遼は「二重統治体制」を採用。

モンゴル高原に住まう人々を「北人」と呼び、その長官「北面官」は今までどおりの部族制を基盤とした統治を行い、燕雲十六州に住まう人々を「南人」と呼び、その長官「南面官」は今までどおりの州県制を基盤とした統治を行います。

その他、税制も法律や刑罰もすべて北面と南面、それぞれの地域に即した統治が行われます。

これはたいへん功を奏し、従来の「浸透王朝」がほとんど数十年単位の短期政権だったのに対し、遼はなんと２００年（９１６～１１２５年）にわたってモンゴル高原の覇者たり得ました。

そのため、これ以降の北方民族は、中国本土を領有した際、遼を模範とした「征服王朝（金《きん》・元・清）」が現れるようになったのです。

（＊56）契丹族は、９１６年に建国したときの国号は「契丹王国」であり、９４６年に「遼」と改号しているため、このころ（９３６年）は「契丹王国」と言った方が正確ですが、ややこしいのですべて「遼」で統一しています。

腕っぷしは弱いがカネはある

こうした北方民族の新しい動きに対し、文治主義によってみずから軍部を弱体化させてしまっていた宋王朝はどのように対応したのでしょうか。

燕雲十六州は〝中国固有の領土〟です。

宋王朝はこれを奪還するべく、「質」の悪化した軍部の弱体化を「数」で補いつつ遼との国境紛争をつづけましたが、ついに遼軍は宋の帝都・汴京《ベンキン》の目と鼻の先、澶淵《せんえん》まで迫る勢いとなります。

これに宋王朝はパニックとなり、汴京を棄てて南遷するよう進言する家臣すら現れる狼《ろう》狽《ばい》ぶりとなります。

ところが、一見、遼の大攻勢のように見えながら、じつは遼軍は切迫した状態に陥っていました。

勢いでこんな中国奥深くまで侵攻してしまった結果、兵站《へいたん》が伸びきってしまっており、今ここを叩かれたらたちまち潰滅させられる状態にあったうえ、遼の国内情勢、外交情勢が芳《かんば》しくなく、帝都汴京を目の前にしながら撤退の機会を窺っていたのです。

自分が追い詰められているときというのは、往々にして敵はそれ以上に追い詰められているものです。

こうしたときは、さきに音をあげた方が負けという「根比べ」なのですが、あっさり白旗を振ったのは宋（第3代真宗《しんそう》）でした。

宋は遼との折衝を重ね、

・国境は現状維持とすること。

・宋を兄、遼を弟として兄弟の契りを結ぶこと。

・宋は毎年銀10万両、絹20万疋《ひき》を遼に贈ること。

……と定め、(＊57) 遼軍を退かせることに成功します。

要するに「札束積んでお帰りいただいた」わけで、それにより確かに一時の平和が訪れたかもしれませんが、外交というものは、ひとたび弱みを見せれば、あとはアリ地獄が待っています。

宋の弱腰を見た周りの国が「我も我も」となることは必定ですし、遼も遠からず増額を要求してくることは火を見るより明らかです。

（＊57）所謂「澶淵《せんえん》の盟」。1004年。このときの遼皇帝は第6代聖宗《せいそう》（耶律文殊奴《やりつもんじゅど》）。

■歴史法則22■
外交において、敵に弱腰を見せればたちまち骨までしゃぶられる。

　たとえば、尖閣《せんかく》諸島も竹島《たけしま》も、歴史的に議論の余地すらないほど明白な日本領ですが、にもかかわらず中国や韓国がその領有権を主張しているのは、日本政府が「弱腰外交」に徹したからに他なりません。

　歴史的に、弱腰外交が奏功した例などほとんど見られません。たいていは悲惨な末路が待つのみです。

「ヒトラーの横暴に対して弱腰外交を貫いたチェンバレンこそがナチスを育て、第二次世界大戦を引き起こしたのだ！」とチャーチルが舌鋒鋭く非難しています。

　このときも、宋の弱腰外交を見た西夏《せいか》がまもなく侵攻を開始。

　宋（第4代仁宗《じんそう》）はたちまち膝《ひざ》を屈し、西夏に対して「宋を君、西夏を臣」と認めてくれるならば、毎年「銀5万両、絹13万疋、茶2万斤」を与えると約すると、満足してさっさと兵を退いていきます(*58)。

　この行動からも、西夏が「君臣の名目などどうでもよい、カネ目的」の侵攻であることがよく分かります(＊59)。

すると案の定、今度はこれを見た遼が領土割譲要求を突きつけてきたため、宋はまたしても穏便に事を済ませるため、あっさり歳幣の増額（銀と絹それぞれ10万ずつの増額）に応じました。

もちろん遼の領土割譲要求も口実であり、本意は歳幣増額です。

やがて、北から金が侵攻すれば、今度は金と「紹興《しょうこう》の和（1141年）」を結んで、金に臣従させられたうえ、淮河《わいが》以北の華北を奪われ、さらに莫大な歳幣（銀25万両・絹25万疋《ひき》）を支払うことを約束させられることになります。

人は、困難に当たって一度でも「逃げ」の選択をしてしまうと、あとはなし崩し的に「逃げ」つづけることになり、衰滅していくものです。

軍部を弱体化させることで唐末以来の「安定」を手に入れた宋王朝でしたが、そのために「劣化した質を数で補わ」なければならなくなり、その使い物にならない軍に費やされる国費は莫大なものとなります。

（＊58）所謂「慶暦《けいれき》の和」。1044年。このときの西夏皇帝は初代景宗《けいそう》（李元昊《りげんこう》）。
（＊59）チンピラが「肩がぶつかった」とインネンをつけて小遣いをせしめる姿とかぶります。

さらに、独裁体制を維持するために科挙を整備し、官僚制に力を入れた結果、これにかかる維持費も膨らみ、そのうえ、本来まともな外交が成立していれば払う必要のない、莫大な「歳幣」まで支払わなければならず、宋の国庫を圧迫させていきました。

第6代神宗《しんそう》のころには、すでに国庫は破綻状態だったため、財政再建の期待を一身に背負って現れたのが、あの王安石[*60]です。

しかし、すでに隅から隅まで汚職にまみれていた官僚たち（旧法党）の猛反発を受けて失敗。これはローマにおける「グラックス兄弟の改革」と重なります。

混乱の中で、まず金に中国全土の北半分を奪われることになり、その後、モンゴルの登場によってついに滅亡することになります。

こうして、北方民族に中国全土の制圧を許したという、史上初の汚名[*61]を負うことになったのでした。

［宋王朝　滅亡の理由］
・弱体化した軍部のため、カネにモノを言わせた弱腰外交に徹したこと。
・これによりジリ貧となり、どうしても戦わなければならない状況に追い込まれても
なお、「逃げる」選択肢しか取れぬ政府と成り下がってしまった。

軍部を弱体化させることで成立した宋王朝は、軍部を弱体化させたことが仇《あだ》となって亡んでいったのでした。(*62)

勇者を尊ぶ気風

宋王朝に取って代わったモンゴル帝国（元）は、けっして自民族の誇りを棄てない「征

（＊60）「新法」と呼ばれる財政改革を強行した北宋時代の政治家。汚職政治家が「旧法党」を結成して猛反発して失脚。

（＊61）隋や唐のように帝室に北方民族の血が流れていることはありましたが、北方の地を拠点としつつ、北方民族の民族気質を失わずに全中国を制圧したのはこれが初のことでした。

（＊62）「歴史法則16」その国の成立・発展の礎となったものが、その国の衰退・滅亡の原因となっていく。

服王朝」にして、初めて中国全土を支配した異民族王朝です。

彼らは、北魏や西夏のように、北方民族でありながら漢民族文明を受け容れて漢化してしまうことを断固拒絶します。

遊牧民特有の「強い者が正義」という価値観が強く、組織を率いるリーダーは誰もが認める勇者であるべきであって、農耕民族のような「長子相続」という観念は比較的弱いものでした。

したがって、モンゴルの汗位《カン》(*63)は伝統的に「クリルタイ」と呼ばれる長老会議によって決められました。

この価値観に基づく組織運営は、本当に誰もが認めるような勇者が現れれば、つねにすぐれた指導力を持つ者がリーダーとなって組織を導いてくれますから、うまく機能します。

モンゴル帝国も最初はこれがうまく機能して、ユーラシア大陸を席巻する大帝国となっていきます。

たとえば、チンギス汗《カン》が金の帝都（北京）を征服したとき、大量の捕虜を連れてきましたが、その中に、耶律楚材《やりつそざい》というすぐれた人物がいました。

チンギス汗《カン》は、彼が異民族であり、敵国の旧臣であったにもかかわらず、まよわず重臣として迎えています。

〔元帝国　発展の理由〕
「英雄を尊ぶ気風」がすぐれた人材を集めることに成功した。

英雄と奸賊

しかし、「すぐれた才」というものは動乱の世でなければ、それを発揮するチャンスに恵まれません。

そのため、ひとたび政治が安定してしまうと、むしろ無能な人間がハバを利《き》かせるようになります。

（＊63）モンゴル人の帝王号に関しては「カン」「カアン」「ハン」「ハーン」「汗」が入り交じり、史書ですら混同され使用されていることが多い。そのため、高校教科書では特に区別されずに使用されていますが、一般的に「カン」は王号、「カアン」は帝号に相当し、それらの漢字表記が「汗」で、ペルシア語発音が「ハン」「ハーン」と言われています。

なんとなれば、優秀な人というものは、その才に誇りを持っているため、その才を以て〝正々堂々〟と戦おうとするものですが、無能な者は正々堂々と戦えば勝てっこありませんから、根回し・裏工作など卑劣な手段の限りを尽くして優秀な人材を陥れるからです。

戦乱の時代であれば「実績」を前にして無能は黙らざるを得ませんが、平和な時代においては、すぐれた人物が実績を上げる機会がないため、才人と無能が争えば、汚い裏工作に長《た》けた無能の勝利に終わることがほとんどとなります。

洋の東西と古今を問わず、混迷の時代には英雄が輩出するのに、平和な時代には卑劣で無能な人間がハバを利かせるのはそのためです。

■歴史法則23■

混迷の時代には英雄が現れて、平和な時代へ導き、
平和な時代には奸賊が現れて、混迷の時代へ導く。

こうして、歴史はちゃんと〝輪廻《りんね》〟するようになっています。(*64)

帝位相続争い

　モンゴルが国造りを行い、つぎつぎと周りの国々を併呑し、宋王朝をも亡ぼして中国全土を統一したころまでは、才が発揮される〝場〟があるために、こうした「勇者を尊ぶ気風」はうまく機能しましたが、元王朝が生まれ、ひとたび国家が安定し、組織力で運営されるようになれば、そうした「気風」もたちまち悪い側面が発現するようになります。

　元朝の初代皇帝フビライ（世祖）が亡くなったあと、その孫テムルが帝位を継ぎました（成宗《せいそう》）が、その長くはない治世（1294～1307年）が終わったあとは、つねに帝位継承問題が沸き起こり、以来、最後の皇帝（第12代 順帝《じゅんてい》）が即位するまでの26年の間に10人もの皇帝が廃立することになります。(＊65)

　元朝の最後の皇帝・順帝も、治世年間だけ見れば35年と長いものでしたが、その帝位は、つねに軍閥の内部抗争によって脅かされていました。


(＊64)　そして「歴史法則19：歴史は繰り返す。延々と。」につながります。

(＊65)　元朝の歴代皇帝の中で、何の問題も起こらずに穏やかに帝位を継ぐことができたのは、唯一第5代英宗《えいそう》だけでしたが、その治世はわずか2年、暗殺でした。中には、治世わずかに1ヶ月で廃位させられた者（天《てん》順帝《じゅんてい》）、6歳で即位して2ヶ月で毒殺された者（寧宗《ねいそう》）もいます。

帝国は財政難に陥って久しく、治水を怠ったために洪水が相次ぎ、怖ろしい伝染病（おそらく南露からもたらされた黒死病《ペスト》）が蔓延し、行政機構は機能停止して、全国各地で反乱が頻発するようになっているのにもかかわらず、宮廷は醜い権力争いが暗躍し、すぐれた人材は無能な者に懼《おそ》れられてつぎつぎと毒殺され、皇帝は政治をないがしろにして豪奢な生活に耽《ふけ》るのみ。

〔元帝国 滅亡の原因〕
帝国の安定が「英雄も尊ぶ気風」を機能停止させ、帝位相続争いと軍閥の内部抗争が恒常化した。

「英雄を尊ぶ気風」によって中国全土のみならずユーラシア大陸を制覇した帝国は、その気風が災いとなって亡びゆくことになったのでした。(*66)

ふたたび〝歴史は繰り返す〟

元朝は、仏教系の白蓮教徒《びゃくれん》が起こした「紅巾の乱《こうきん》」から頭角を顕した朱元璋《しゅげんしょう》によって亡ぼされ、(*67) つぎは明朝の時代の幕開けとなります。

明朝は漢民族王朝、その次の清朝は異民族王朝でしたから、宋王朝からはじまった「漢民族王朝→異民族王朝」のパターンは厳然として繰り返されていることになります。

この法則のままいくならば、清朝を倒す国は「漢民族王朝」のはずです。

しかし、清朝を倒した「中華民国」は、確かに漢民族の打ち建てた国でしたが「王朝」ではありませんでした。

秦朝以来、2100年にわたって脈々とつづいていた「帝政」は、1912年、清朝の滅亡とともに幕を閉じます。

これは、20世紀の幕開けとともに中国の歴史は「新しい段階」に入ったと見てよいでしょう。

第1段階は「長い戦乱時代→短期王朝→長期王朝」の2ターン。(＊68)

第2段階は「漢民族王朝→征服王朝」の2ターン。(＊69)

(＊66)「歴史法則16」その国の成立・発展の礎となったものが、その国の衰退・滅亡の原因となっていく。

(＊67)厳密には亡ぼされていませんが、一般的にそうした説明がされるので本文でもそれに倣っています。

(＊68)「東周→秦→漢」と「魏晋南北朝→隋→唐」。

(＊69)「宋→元」と「明→清」。

そして第3段階は……？

中華思想の崩壊

第1段階から第2段階への転換は「北方民族が漢民族の支配ノウハウを手に入れたこと」が原因でした。

では、第2段階から第3段階への転換はなぜ起こったのでしょうか。

じつはそれは「中華思想の崩壊」が原因です。

第1段階から第2段階に大転換したときにも「中華思想」は脈々と流れていました。

北方民族のつくった征服王朝ですら「中華思想」を統治に利用しています。

ところが清朝の後期、これを覆すような事件が起こりました。

対清貿易赤字に苦しんでいたイギリスが、これを解消するため、不法に麻薬（阿片）を清朝に輸出しはじめたことがきっかけです。

清朝によってこれを糾弾されるや、イギリスはたちまちその醜い本性を現し、問答無用で清朝に戦争を吹っかけてきたのです。

当時のイギリスの政治家グラッドストンですら、

「その原因がかくも不正な戦争、かくも永続的に不名誉となる戦争を、私はかつて聞いたこともないし、本で読んだこともない！」

……と嘆かせた、悪名高き「アヘン戦争（１８４０～42年）」です。

この戦争は清朝の無惨な敗北に終わりましたが、このことは、中国の知識人に深い衝撃を与えます。

なんとなれば、中華思想の理念からすれば、中国が夷狄蛮戎の国に敗れることなど、天地がひっくり返ってもあり得ないはずだからです。

過去、中国が夷狄の国に敗れたことは珍しくありませんし、それどころかその支配下に屈したことすらありました。

しかしながら、それら夷狄の国はすべて中国に隣接した国であり、中華文明を受け容れ、多分に漢化していた国でしたから、そこに言い訳も立ちました。

「今回、漢民族が夷狄に敗れたのは、やつらが中華文明を取り入れて力を蓄えたためであって、中華文明の優秀性が再確認されただけのことである」と。

しかし、今回はその言い訳が通じません。

イギリスなど、中国から見れば〝地球の裏側〟であって接点はなく、言葉も宗教も文化も風俗もまったく中国文明の影響を受けていません。

そんなイギリスに完膚なきまでに敗れたのでは、もはや言い訳が立ちません。

中華思想が全否定され、中国人の誇りは根底から傷つけられます。

そこで、中国人の知識人の中から、べつの考えが生まれてきました。

「我が中国は〝帝政〟という時代遅れの政治システムのために敗れたのだ！〝民主政〟こそが正しいのだ！」

そこで、初めは清朝そのものを近代化・民主化する改革(*70)が考えられましたが、その試みはことごとく失敗に終わったため、ついに孫文《スンウェン》らを濫觴《らんしょう》として「清朝を倒さない限り、近代化・民主化の道はあり得ない！」という革命思想が拡がり、「清朝打倒」「民主中国の創立」を叫びはじめるようになります。

孫文の「民族独立」「民権伸長」「民生安定」の三民主義(*71)はそうした政治見解を凝縮したスローガンでした。

孫文の大いなる誤り

しかし、孫文は大きな誤りを犯していました。

このときの清朝は政府中枢の奥深くまで腐敗しきっていましたから、「清朝打倒」という見解は正しかったでしょう。

しかし、「坊主憎けりゃ袈裟《けさ》まで憎い」で、その政体まで否定したのは致命的な誤りでした。

彼のこの取り返しのつかない誤りが、20世紀初頭以降、現在に至るまでの中国の歴史の悲劇を生んだといっても過言ではありません。

「民主政が正しく、帝政が誤り」というのは、単なる白人の〝刷り込み〟にすぎません。(＊72)

政体というものは、その民族が何千年にわたる試行錯誤の経験の中から構築されてきたものであり、その環境・歴史・民族性・文化・経済などと複雑に絡みあいながら、もっとも適切な形となって成立したものです。

「その土地、その民族、その環境に適した政体」があるだけであり、「どこの地域でもどの民族にもどんな環境にも万能な政体」などというものはまったく存在しません。

「民主政」も例外ではなく、白人たちの生まれ育った環境・歴史・民族性・文化・経済の中からもっとも適したものとして育《はぐく》まれてきただけのものにすぎません。

白人もまた自民族中心主義《エスノセントリズム》が異常に強く、「民主政こそが絶対正義」だと信じて疑わず、

(＊70)　洋務運動（1860年代～90年代）、変法自強運動（1898年）、光緒新政（1901～11年）など。
(＊71)　民族独立は「清朝打倒」を、民権伸長は「民主中国の創立」を意味しています。
(＊72)　とはいえ、現在でもその〝刷り込み〟に騙されつづけ、そう信じて疑わない者は多い。

アジア世界にはアジア世界に適した政体があることがまったく理解できずにこれを強要してきました。

押し付けられたアジア側も「どうしても戦争で勝てない」現実を前にして、これをマに受けてしまいます。

しかし、このとき中国が敗れたのは、たまたま「清朝の衰退期」と「欧米列強の隆盛期」がぶつかったからにすぎません。

清朝が敗れた原因は、政府中枢には佞奸《ねいかん》が跋扈《ばっこ》し、軍は弱体化し、王朝自体が衰退期に入っていたからであって、断じて「帝政」のせいなどではありません(*73)。

もしこのアヘン戦争が康熙帝《こうきてい》や雍正帝《ようせいてい》の御世《みよ》に勃発したものであれば、たかが島国イギリスの海軍ごとき、軽く一蹴していたことでしょう。

そうであれば、「民主政が絶対正義」などという戯言《たわごと》、アジア人がマに受けることもなかったでしょう。

かならずその民族ごとに「適した政体」というものがあり、白人にとって適した政体は「民主政」だったかもしれませんが、中国人にとってもっとも適した政体はあくまでも「帝政」なのです。

現代に至る中国の苦しみ

しかし、孫文（と彼につづく者たち）にはどうしてもそれが理解できず、彼らはよかれと思って民主革命に奔走しますが、結果、中国の混乱に拍車をかけていくことになります。

1912年、ついに民主革命は成り、清朝を亡ぼして孫文を初代臨時大総統とする「中華民国」が生まれました。

彼が夢にまで見た「民主中国」が生まれたのです。

しかし、そうして生まれた「民主中国」がついに一瞬にして袁世凱《ユエンシーカイ》に乗っ取られて独裁化し、一時的ではありましたが帝政が復活(＊74)する始末。

なぜ民主革命がうまくいかないのか⁉

（＊73）喩えるなら、若いころ無敵のチャンピオンだった伝説的ボクサー（18世紀の清朝）が70歳の老齢を迎えたとき（19世紀の清朝）、新進気鋭の若いボクサー（イギリス）に挑まれて敗れたようなものです。だからといって、敗れた老人が勝った若者よりボクサーとしての資質（政体）が劣っていることにはなりません。それとおなじです。

（＊74）中華帝国。1915年12月12日～16年3月22日までの102日間だけ存在した帝国。文字どおり「百日天下」。

このことに頭を抱えた知識人たちは「文学革命」を起こしますが、これも失敗します。袁世凱《ユエンシーカイ》亡きあとも「民主中国」に立ち返ることなく、独裁政権が濫立する軍閥時代となり、そうした絶望の中、孫文は肝臓ガンで亡くなりました。

——革命なおいまだ成功せず。
同志はすべからく努力すべし。

この有名な孫文最期の言葉が、彼が死ぬまで自分の過ちに気づいていなかったことを表しています。

彼の死後、その後継者を自任する蔣介石《チャンチエシー》がようやく中国の再統一を果たしましたが、今度は毛沢東《マオツオトン》が現れて、たちまち蔣介石の中国を大陸から駆逐し、彼を独裁者とする「中華人民共和国」が成立します。

毛沢東《マオツオトン》の独裁ぶりといったら、歴代皇帝も裸足で逃げ出すほどのすさまじさで、何の罪もなく彼に殺された民の数はそれこそ数えきれず、一説には第二次世界大戦における全世界の戦死者数にも匹敵するといわれるほど。

これほどのおぞましい独裁者は、悠久の歴代中国皇帝を探しても見つけることができず、世界的にも彼に匹敵する殺戮をこなした独裁者はスターリンくらいのもので、ヒトラーですら足元にもおよびません。

どうして中国には「民主政」が根づかないのでしょうか。

それは、もともと民主政が合わない民族性だからです。

孫文とその後継者にはどうしてもそれが理解できませんでした。

「帝政」しか受け容れることができない民族性に、ムリヤリ民主政を押し付けた結果、その不合理・背反・撞着が袁世凱《ユエンシーカイ》を生み、果ては、毛沢東《マオツオトン》のような化け物《モンスター》を生むことになったのです。

今の中国の指導者も、「小毛沢東《マオツオトン》」にすぎません。

最近の中国経済が活況を呈していると報道されていますが、それは上辺だけのこと。

中国は古来、「中華思想」を基盤とし、それを支える圧倒的経済力・軍事力で「帝国」として繁栄してきました。

その基盤が根底から失われた今、中国の未来は暗い。

［中国　衰退の理由］
中華思想と帝国によって繁栄した中国は、その誇りを失い、力を失い、制度まで失って衰亡していった（現在進行形）。

［第3章］

イスラーム帝国

——原理主義が生まれたのはなぜか

ふたたび中東に輝きはじめた光

人類の文明開闢《かいびゃく》とともに最初に光り輝いたのは、オリエント世界(*01)でした。

初めてメソポタミアを統一したアッカド帝国、巨大ピラミッド建設で有名な古代エジプト王朝、初めてオリエント統一を達成したアッシリア帝国、これを継承発展させたアケメネス朝ペルシア帝国。

こうしたオリエントから輝きはじめた光は、ユーラシア大陸を東（インド）へ、東（中国）へと飛び火するようにして、やがて歴代中華帝国が燦然《さんぜん》と輝くようになると、これとは相対的にオリエントの光はジワジワと衰えていくことになります。

しかし、中国では唐王朝が生まれた（618A.D.）ころと時を同じうして、弱まっていたオリエントの光がふたたび輝きを取り戻しはじめます。

その光が「イスラーム」です。

光は辺境より現れる

じつは、旧時代から新時代へと切り替わるとき、たいていその新時代の光は辺境から現れます。

紀元前4～3世紀の中国において、長きにわたる戦国時代に終止符を打ち、「戦国の七雄」を制したのは、中原《ちゅうげん》の魏でもなく、斉でもなく、西の辺境の秦でした。

5〜9世紀のイギリスにおいても、長きにわたる戦乱の世を終わらせ、「七王国《ヘプターキー》」を平らげたのは、中央のケント王国でも、エセックス王国でもサセックス王国でもなく、西の辺境ウェセックス王国でした。

今回も新しい光は辺境より現れます。

> ■歴史法則24■
> 次世代の光は辺境より現れる。

イスラーム誕生の政治的背景

かつて、まばゆい光を放ったアケメネス朝ペルシア帝国の旧領は、アレキサンドロス大王に亡ぼされたのち、四分五裂と統合を繰り返しながら、7世紀までには、その西半分を

(＊01) 現在のエジプト・シリア・トルコ・アラビア・イラク・イランあたりをさす言葉で、現在では「中東」と呼ばれる地域にほぼ一致します。

ビザンツ帝国、東半分をサーサーン朝で二分し、両国がその覇権を巡って長きにわたって交戦(＊02)、お互いに国力を消耗し合っている状態でした。

そうした中、地理的に両国の真ん中にあって、その争いに翻弄《ほんろう》されていたのがアラビア半島の民です。

オリエントの中でも、アラビア半島はそのほとんどが砂漠に覆われたたいへん生産性の低い土地柄で、ここに住む民は農耕に携わる者は少なく、ほとんどは遊牧民として貧しい生活を強いられ、つねに〝辺境〟としての地位に甘んじていました。

彼らは弱者ゆえに、部族によってはサーサーン朝に協力したり、またビザンツ側に付いたりすることで、その身を護っていました(＊03)が、それによりサーサーン陣営の部族とビザンツ陣営の部族の抗争が起こり、これが社会問題となっていました。

――他国同士の紛争に、なぜおなじアラビア人同士が憎しみ合い、殺し合わねばならぬのか⁉

イスラーム誕生の経済的背景

また、ビザンツ帝国vsサーサーン朝(＊04)が、現在のシリアを中心にして恒常的に戦争(＊02)しつづけたことで、そこを通っていた交易路が荒廃してしまい、貿易に支障をきたすようになります。

　そこで貿易商たちは、このシリア・ルートを諦め、かなり遠回りとはなるものの、アラビア半島経由の迂回《うかい》ルートを通るようになります。

　アラビア半島を貿易商たちが往来するようになれば、必然的に多くの富がここにこぼれ落ちるようになり、アラブ人の中から商業に携わる者が現れます。

　これにより、今までどおりの遊牧生活をしている貧困層と、商業に携わるようになった富裕層に二極化し、おなじアラビア人の中で貧富の差が生じることになります。

　多くの富が流れ込めば、かならず「富の偏在」が生まれ、それが時代を動かす原動力となっていくことはすでに学んでまいりました(＊05)（35ページ）。

　こうして、「ビザンツ・サーサーン戦争」の長期化は、人類史開闢《かいびやく》以来つねに辺境であ

（＊02）この戦争を「ビザンツ・サーサーン戦争」といいます。

（＊03）日本の戦国時代でも、たとえば真田《さなだ》家が武田《たけだ》に付いたり、織田に付いたり、上杉《うえすぎ》に付いたり、豊臣《とよとみ》に付いたりして、その身の安寧を図ったのとおなじです。弱小勢力は、有力大名の庇護下に入ることでしか身を守れないためです。

（＊04）所謂「絹の道（シルクロード）」のこと。

（＊05）「歴史法則05」殷富［富み栄えること］は富の偏在を促し、富の偏在は秩序を破壊する。

りつづけたアラビア半島に住む人々に、「同族内の抗争」という政治的問題と、「貧富の差の拡大」という経済的問題、この2つの大きな社会問題を呼び込むことになり、これらを一気に解決する手段としての〝歴史的役割〟を担って登場したものが「イスラーム」だったのです。

御神託下る

イスラームが興ったアラビア半島は、ほとんど砂漠に覆われた貧しい土地柄であることはすでに触れましたが、それは、文明発祥以来このころまで一度も統一王朝が生まれていないことからも窺《うかが》い知れます。

しかし、半島の中でも紅海沿岸部(*06)は比較的豊かで、その南部は農耕地帯が拡がり、中央部にあるメッカには古《いにしえ》よりカーバ神殿が鎮座し、そこには360柱の神像が祀《まつ》られ、アラビア人の信仰の拠り所(*07)となっていました。

カーバ神殿にはアラビア全土から参拝者がやってくるため、ここを押さえることができれば大きな権威と富を得ることができますが、5世紀ごろからここを支配していたのがクライシュ族です。

このクライシュ族の中に「ハーシム家」という分家が生まれ、その家に生まれたたったひとりの人物が以降の人類史を大きく変えることになります。

それがムハンマド(＊08)です。

彼は、生まれる前に父を亡くし、６歳のころに母を亡くして孤児《みなしご》となったあとは、親戚をたらい回しにされ(＊09)、不遇な子供時代を過ごします。

とはいえ、子供時代に苦労した者は、大人になってから大成することが多いもので、彼もまた例外ではありませんでした。

成人となったムハンマドはアラビアに直面した社会問題を憂うようになり、やがてメッカ近郊のヒラー山の麓《ふもと》にある洞窟に籠もるようになります。

洞窟修行生活も15年ほどが経ったころ（610A.D.）、いつものように彼が瞑想《めいそう》をしていたところ、突然目の前が明るくなったかと思ったら、そこには背中に羽の生えた人が立っていました。

（＊06）ヒジャーズ地方のこと。ヒジャーズ山脈・アスィール山脈で内陸と隔てられた南北に細長い地帯。

（＊07）日本でいえば「伊勢神宮」に似た存在。一生に一度はこれを参拝することが望まれました。

（＊08）フルネームは「ムハンマド・イブン・アブドアッラーフ・イブン・アブドゥルムッタリブ・イブン・ハーシム」。日本では慣習的に「マホメット」と呼ぶこともあります。

（＊09）「たらい回し」といえば聞こえは悪いですが、親戚にはかわいがられたようです。

——我こそは偉大なる神《アッラー》(*10)の大天使ジブリール(*11)なり！

これにより彼は「大天使ジブリールより神《アッラー》のご意志を伝え聞いた」ということになり、この瞬間より「イスラーム」が生まれたと解釈されます。

命を狙われたムハンマド

もっとも、ムハンマド自身は、この御神託当初、「悪魔に魅入られた！」と狼狽しきりで、妻ハディージャに「あなたの前に現れたのは本物の天使ですよ」となだめられたあとも自分が預言者(*12)となった自覚が持てず、しばらくは布教活動をしようとはしませんでしたから、啓示を受けてから最初の4年間に帰依《きえ》した信者はたった4人でした。

妻ハディージャ、従弟《いとこ》にして義兄弟のアリー、解放奴隷のザイド。

そしてのちにムハンマドの後継者《カリフ》となるアブー・バクル。

しかし614年、ムハンマドもついに覚悟を固め、本格的な布教活動に入ると、彼はすすんで町に出ては辻説法をするようになります。

——神はひとつなり！

多神を信じ、偶像を崇拝すれば、来世、かならずや地獄の業火《ごうか》に灼《や》かれることになるだろう！

しかし、彼がこうした辻説法を行ったのは、すべてのアラビア人の信仰の中枢である聖地メッカだったため、当然、周りの人たちから深く怨まれ、「危険人物」扱いされるようになります。

彼が行った行為を現在で喩《たと》えれば、突然どこの馬の骨とも知れぬ人物がヴァティカンのド真ん中に現れて「イエスなどインチキだ!」と叫び、メッカのド真ん中に現れて「アッラーなどインチキだ!」と叫んでいるようなものです。

のみならず、「お前たち、こんな邪神を信じていたらかならずや地獄に堕ちるぞ! 我が神のみを信じよ!」とばかりに聖書、あるいはクルアーン(コーラン)を引き裂く。(*13)

もし現在のメッカでこれを行えば、たちまち殺されるでしょう。

自分がやられた立場になってムハンマドの行動を考えてみれば、このときのムハンマド

(*10) イスラームの神「アッラー」は、理念上、キリスト教の神「ゴッド」、ユダヤ教の神「ヤハヴェ」と同一神です。

(*11) ラテン語では「ガブリエル」。ミカイル(ミカエル)、イスラーフィール(ラファエル)とともに三大天使のひとり。

(*12) 神の声を聞き、そのご意志を民に伝える役目を負った人のこと。

(*13) ムハンマドもカーバ神殿の中の神像を破壊しています。

の行動が如何に当時のメッカ市民の憎悪を煽《あお》ったかは容易に理解できるでしょう。

――ムハンマドめ！

6歳《むっつ》で孤児《みなしご》となって以来、一族に育ててもらった恩も忘れたか！

「啓示を得た！」などと世迷《よま》い言を吐《ぬ》かして我々の先祖伝来の神々をインチキ扱いしおって！

気でもふれおったか！

仮にムハンマドの信じた神が〝本物〟であったとしても、それはメッカ市民には与《あずか》り知らぬことですから、怒り心頭になるのは当然のことでした。

こうした信仰上の怒りに加え、経済上の怨みも重なりました。(＊14)

クライシュ族はカーバ神殿を押さえ、その周辺に出店を出して全国から集まる参拝者に物販することで生計を立てていましたから、カーバの神々をインチキ扱いすることは、文字どおり「営業妨害」以外何物でもありません。(＊15)

――ムハンマドを殺せ!!

こうして憎しみの対象となったムハンマドは、たびたび命を狙われるようになります。

自宅に石が投げ込まれるようになる、畜生の死骸が投げ込まれるようになったくらいは序の口。ある時は、突然大勢の人間に押さえつけられ、駱駝《らくだ》の血と糞を詰めた胃袋を頭にかぶせられ、首元を腸で縛って窒息死させられそうになったこともありましたし、井戸に毒を投じられ、七転八倒して苦しんだこともありました。

　毒を投じた犯人は苦しむムハンマドを見下ろして嗤《わら》います。

――あんた、預言者なんだろ？

　預言者は毒など効かないはずじゃないのかい⁉(＊16)

　預言者ともあろう者が毒の入った井戸も見分けられなかったのかい⁉

聖遷ヒジュラ

　それでもハーシム家の家長アブー・ターリブや、妻ハディージャが庇《かば》ってくれていたころはまだよかったのですが、６１９年、この２人が相次いで亡くなったことで、いよいよムハンマドの命は殆《あや》うくなります。


（＊14）日本でいえば、伊勢神宮の目の前にある「おかげ横丁」のようなものです。

（＊15）伊勢のおかげ横丁を「天照大御神《あまてらすおおみかみ》などインチキだぁ！　我が神のみを信ぜよ～！」とわめいて歩くおっさんがいることを想像してみてください。せっかくの和やかな雰囲気がブチ壊しで、参拝客も商店主も不愉快千万です。

（＊16）聖書の中に「信ずる者は毒を飲んでもけっして害を受けない」とあります。

そこで彼は、自分の亡命先を探し、メッカ北方400kmの位置にあったヤスリブに逃れることにしました。

これを現在では「聖遷《ヒジュラ》」といいますが、名前のイメージとはかけ離れて実際には〝命からがらの逃避行〟でした。

ただちに追っ手が差し向けられ、徒歩で逃げるムハンマドに対して駱駝部隊の追跡がかけられました。

――おのれ、生きてメッカを出させてなるものか!

追いつかれそうになったムハンマド一行は途中、ちかくの洞窟に潜んでやりすごすことで、なんとかヤスリブに辿りつきます。(*17)

彼はここを「預言者の町《マディーナトアンナビー》」(*18)と名を変え、「教団国家《ウンマ》」を建設。

ここに史上初めての「イスラーム国家」が生まれたため、聖遷《ヒジュラ》のその年その月その日、西暦622年7月16日を以て「イスラーム暦元年正月元日」と定めました。

イスラーム教団の秘密

イスラームは、ここメディナを拠点としてしばらくメッカと小競り合いを繰り返しながらも力を蓄え、聖遷《ヒジュラ》から8年後、ついに〝アラビア半島の第一の都市〟メッカを征服したかと思ったら、そこからはあれよあれよ、そのわずか2年後には人類史上初めてアラビア半島の統一を達成します。

これほど短期間のうちに半島統一という偉業を成し遂げることができたのは、イスラーム教団《ウンマ》の特異性にありました。

そもそも組織というものは、ひとつひとつばらばらの方向を向いている「個」に一定の方向性を与えて大きな力を生みだす仕組みですが、そうは言ってもすべての「個」にまったく同じ方向を向かせることは至難の業です。

組織の指導者《トップ》が、構成員の70%を「＋《プラス》の方向」に向かせることに成功したとしても、20%が横を向き、10%が「－《マイナス》の方向」を向けば、差し引き60%のパワーしか生み出せないことになります。

しかしもし指導者《トップ》の命令一下、100%の構成員をいつでもかならず指導者《トップ》の意のまま

（＊17）このとき、追跡隊がこの洞窟を怪しみ、探索を出していますが、洞窟のそばまでやってくると、洞窟の入口に蜘蛛《くも》の巣が張っているのを見ただけで「人の入った形跡なし」と内部を調べることなく引き返してしまっています。この探索隊が「蜘蛛の巣なんてホンの1時間前後で完成する」ことすら知らなかったことが幸いしました。

（＊18）通称「メディナ」。メディナはもともと「町」という意味の普通名詞でした。

に操ることができたら！

その組織は、常識を越えた信じられない力を発揮することになります。

とはいえ、それを実現するためには、指導者《トップ》が全構成員から微塵の疑いもなく絶対的な信頼を受ける存在でなければなりません。

そうした指導者《トップ》になることは至難ですが、ムハンマドは「神《アッラー》の言葉を伝える預言者」という立場を自称することでこれをあっさりと手に入れ、そして声高に叫びます。

――イスラームに仇《あだ》なす者を討ち滅ぼすのは〝聖なる戦い《ジハード》〟である！

聖戦《ジハード》で戦死した者はかならず楽園《ジャンナ》へ行けるであろう！

これにより教団《ウンマ》は信者たちを「おのれの命などまったく顧みぬ屈強な兵」とすることに成功します。

「命知らずの軍」ほど強いものはなく、これは多少の兵力差・兵器差などモノともしません。

イスラームの拡大を支えたのは、こうした宗教的情熱に燃えた信者たちのおかげだったのです。

〔イスラーム　発展の理由〕
・ムハンマドが「神の言葉を伝える預言者」としての地位を確立させ、一糸乱れぬ組織づくりに成功した。
・信者たちは〝宗教的情熱〟に燃える命知らずの兵となった。

アラビアの抱えた社会問題の解決へ

アラビア半島に「統一国家」が生まれたことによって、社会問題のひとつ「おなじアラビア人同士で、ビザンツ陣営・サーサーン陣営に分かれて憎しみ合う悲劇」は自動的に解消されます。

もうひとつの社会問題「貧富の差」は、イスラームの教えによって再分配が図られました。

イスラームの教えには「六信五行」[*19]というものがありますが、そのうちのひとつ「喜捨《ザカート》」[*20]がそれに当たります。

——アッラーに帰依する者で経済的に余裕のある者は、

その財の一部を自ら進んで貧しい者に施しを与えるべし。

これにより富の再分配が促され、2つ目の社会問題も緩和されていきます。

ムハンマドの死

しかし、こうした急激な膨張は傍《はた》から見る分には「健全な組織」のように見えても内情はそうではない――ということを我々はすでに学んでまいりました（32ページ）。

――急激な組織の膨張は組織を破壊する。(*21)

このように、ただでさえ組織に危機が迫る中、このタイミングでムハンマドが身罷《みまか》られます。

これまでのイスラーム教団《ウンマ》は、ムハンマドの命令一下で信者たちが迷いなく一糸乱れぬ動きを見せることで保《も》ってきたのですから、そのムハンマドの死は、教団《ウンマ》に崩壊《アノミー》を引き起こすのに充分な衝撃《インパクト》ある事件となります。

■歴史法則25■
偉大な指導者によって打ち建てられた政権は、その指導者を失ったとき、崩壊の危機に陥る。

なんとなれば、組織というものは〝トップの器量〟に合わせて構築されるため、国造り（組織の構築）が行われるとき、なまじトップが「才人」だと、2代目3代目（凡人）がその組織をうまく運営できなくなってしまうためです。

たとえば。

源為朝《みなもとのためとも》(＊22)は〝天下無双の弓達者〟と謳われるほどの弓の名手でした。

（＊19）ムスリム（スンニ派）の信じる6つの信条と、実行すべき5つの義務のこと。これを全うすることで「神のご加護」が得られると信じています。ちなみにシーア派は「五信十行」。

（＊20）ザカートは、もともと「喜捨（自ら進んで施す）」という意味でしたが、のちに制度化されて「救貧税」のニュアンスが強くなってしまったため、「喜捨」の意味で「サダカ（個人寄付）」「ワクフ（基金・財団）」という言葉が代用されるようになりました。

（＊21）「歴史法則04」急激な変化は、組織を破壊する。

彼はその豪腕で五人張り(＊23)の強弓を自由自在に使いこなし、敵の矢がまだ届かない距離から矢を放って百発百中どころか、百発二百中。

なんとなれば、五人張りのすさまじい貫通力が、敵の体を貫通し、その後ろの敵にも命中するからです。

しかし、この強弓がそれほどの力を発揮するのも豪腕でならした為朝が使えばこそです。

他の者がその弓だけ手に入れても、誰も使いこなせません。

組織もこれとおなじで、名君によって造りあげられた組織は後継者（凡人）には使いこなせないのです。

逆に、創業者が凡人であったならば、かえって彼亡きあとも教団《ウンマ》はビクともしなかったでしょう。

■歴史法則26■

名君によって打ち建てられた政権は短命。
凡君によって打ち建てられた政権は長命。

イスラーム教団崩壊の危機

今回、イスラーム教団《ウンマ》もまた〝強力なカリスマ指導者〟ムハンマドによって引っぱられてきた組織でしたから、これを失うや、たちまち崩壊の危機に陥ります。

こうした危機にあって、ムハンマドの死を知ったアラビア半島の諸部族らは一斉に反旗を翻《ひるがえ》す。

まさに弱り目に祟《たた》り目。

内からも外からも危機が迫り、一見、もはや教団《ウンマ》の崩壊は必至のように見えますが、じつはこのことが教団《ウンマ》を扶《たす》けることになります。

■歴史法則27■
内なる崩壊は外からの圧力によって止まる。

（＊22）平安時代末期の武将。保元《ほうげん》の乱に敗れ、伊豆大島に流される。彼の兄（義朝《よしとも》）の子が頼朝《よりとも》で鎌倉幕府を開幕している。

（＊23）弓の弦を張るのに5人がかりで張った弓のこと。通常は「一人張り」。

レーニンがロシア革命（十月革命）を成功させ、ソ連を打ち建てたときの世間の評価は「あんな政権、3日と保つまいて！」でした。

実際、レーニン自身もそうした危機感を持っていたほどの弱体政権でした。

ところがそこに起こったのが対ソ干渉戦争。

西側諸国がソ連を潰すべく、一斉に戦争を起こしたのです。

いつ内部崩壊してもおかしくない生まれたばかりの弱体政権に東西南北から迫る列強諸国。

もはや絶体絶命かと思いきや、じつはその外圧こそがバラバラだった国内に結束を与え、逆にソ連を強化させることに繋がったのです。

——ソ連が生まれたのは日露戦争のおかげ。

70年も保ったのは対ソ干渉戦争のおかげ。

……と囁《ささや》かれているほどです。

正統カリフ時代(*24)

このときのイスラームも、ムハンマドを失って組織が動揺する中で、各地に反乱が起こったことがかえって組織の結束を生み、この危機を乗り越えることに成功したのです。

ムハンマドの後継者《カリフ》となったアブー・バクルは、こうして四分五裂していた半島の再統一に成功します。

しかし、つぎの第2代カリフのウマールの御世になると、はやくも次なる難問が立ちはだかりました。

半島の再統一を果たしたことで用済みとなった軍隊を持て余すようになっていたのです。

天下統一のため大軍を擁したが、統一を達成した今、無用となった軍隊をどうするか。

安易に兵を大量リストラすれば、兵の不満が爆発することは必定です。

好むと好まざるとにかかわらず、この大軍を維持するためには、これを使いつづけるより他ありません。

そこで、ウマールの代からいよいよイスラームは半島の外へ膨張戦争を始めることになりました。(＊25)

しかし。

(＊24)　開祖ムハンマドの跡を継いだ後継者のことを「カリフ」といい、特に選挙によって選ばれた最初の4人のカリフを「正統カリフ」と呼びます。

すでにローマの章(*26)でも学んでまいりましたように、ひとたび国内問題の解決を対外膨張戦争で取り繕《つくろ》ったが最後、あとは限界に達するまで膨張しつづけるしかなくなり、その膨張が限界に達したとき、膨らみきった風船が破裂するように四分五裂して崩壊していくのみとなります（32ページ）。

■歴史法則28■
国内矛盾を対外膨張戦争で押さえ込んだ国は、つねに膨張しつづけることを余儀なくされる。

ウマイヤ朝

こうして、第2代正統カリフから始まったイスラームによる膨張戦争は、ビザンツ・サーサーン戦争ですっかり弱っていた両大国を呑み込んでいきます。

ビザンツ帝国はシリア・エジプトを奪われて地方政権へと陥落し、サーサーン朝は亡ぼされます。

しかし、ひとたび「スイッチ」が入ってしまった膨張が止まることはありません。

ウマイヤ朝はさらに西進をつづけ、難攻のリビア砂漠を乗り越えたばかりか、ついにジブラルタル海峡をもわたってイベリア半島のほとんどを制圧。

それでも止まらず、さらにそこから北上して現在のフランス領内奥深くまで侵攻していきます。

この侵攻は、732年トゥール＝ポワティエ間で宮宰《マヨルドムス》カール＝マルテル率いるフランク軍に押し戻されたものの、その領域たるや、西はピレネー山脈以南、東は中央アジアにいたる、とてつもない大帝国となります。

〔イスラーム　拡大の理由〕
絶対的カリスマの死によって陥った教団《ウンマ》解体の危機を、後継者《カリフ》たちは膨張戦争で乗り越えようとしたため。

（＊25）豊臣秀吉の時代、長きにわたる戦国時代に幕を下ろしたものの、戦国時代に育った莫大な兵力を持て余し、朝鮮出兵を始めたのもおなじ理由です。

（＊26）「内乱の一世紀」の時代。

しかし、「急激な組織の膨張は組織を破壊する」(*21)ことはすでに何度も見てまいりました。

まだイスラーム帝国が膨張しはじめたばかりのころは、異民族でありながらイスラーム教徒に改宗する者(*27)はほとんど現れず、アラビア半島住民は民族的にはアラブ人で宗教的にはムスリムであり、それ以外の地域の住民は異民族にして異教徒(*27)というシンプルな構造をしていました。

したがって、信者《ムスリム》には救貧税《ザカート》などの軽い税のみを課し、異教徒《ジンミー》たちにはジズヤ・ハラージュなどの税金を取る税制システムにすれば、クルアーンの聖句《アーヤ》「神《アツラー》を前にして信者《ムスリム》は皆平等」という教えを護りつつ、自民族（アラブ人）を優遇できました。

ところが、初めのうちムスリムへの改宗に抵抗していた異民族《ジンミー》たちも、イスラーム帝国の急速な拡大を目の当たりにして、ぞくぞくと改宗者《マワーリー》へ転んでいくようになります。

こうして異教徒《ジンミー》の数は激減し、それとともに税収も激減。

そこでウマイヤ朝は、改宗者《マワーリー》たちにも課税するようにしましたが、これは「神《アツラー》を前にして信者《ムスリム》は皆平等」というイスラーム精神に悖《もと》るため、改宗者《マワーリー》たちから猛反発を喰らいます。

――確かに我々はアラブ人ではないが、信者《ムスリム》に改宗した以上、アラブ人信者《ムスリム》も我々《マワーリー》も平等に扱われなければならないはずだ！

イスラーム帝国の領域

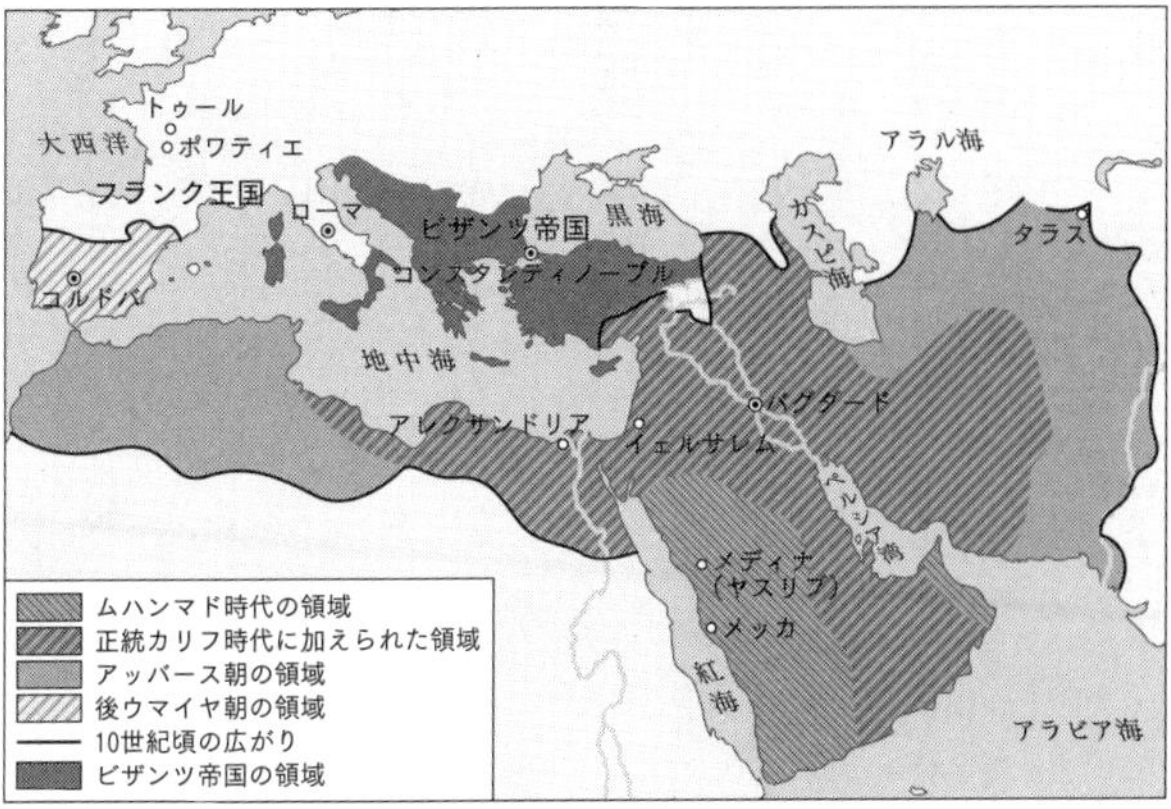

神《アッラー》の教えに反する政治を行うウマイヤ朝は、神《アッラー》の反逆者である！

こうしてウマイヤ朝に反抗して生まれた派閥が「シーア派」です。

このウマイヤ朝とシーア派の対立をうまく立ち回ってウマイヤ朝打倒の革命を起こし、これを亡ぼしたのがアッバース家でした。

> 〔ウマイヤ朝　崩壊の理由〕
> 領土の急速な拡大により組織が弛緩し、その解決に失敗したため。

アッバース家はシーア派と協力してウマイヤ朝を倒すと、さっそく税制改革に乗り出します。

・ジズヤの課税対象は異教徒《ジンミー》のみとする。

・ハラージュはアラブ人・異民族、信者《ムスリム》・改宗者《マワーリー》・異教徒《ジンミー》を問わず、すべての土地所有者に課税されるもの（土地税）とする。

これにより、アラブ人と改宗者《マワーリー》は〝権利上〟は平等となり、「神《アッラー》を前にして信者《ムスリム》は皆平等」という建前を護りつつ、税収も確保する――という荒業に成功しました。

これは、現実問題として、土地所有者は改宗者《マワーリー》たちばかりで、アラブ人たちで土地所有者はほとんどいなかったことに着目し、やはり「アラブ人たちを優遇した税制」であることはウマイヤ朝のころとほとんど変わらなかった――というオチ付きでしたが。

アッバース朝

こうして、税制面における危機は回避したものの、ちょうどアッバース朝が生まれたころと時を同じうして、その膨張がついに限界に達します。

ウマイヤ朝からアッバース朝に王朝交替（750A.D.）した翌年、タラス河畔の戦で高仙芝《こうせんし》率いる唐王朝に大勝したにもかかわらず、これを境に膨張がピタリと止まり、それどころか、それまでつねに「ひとつ」でありつづけたイスラーム帝国がついに分裂を始めます。

一難去ってまた一難、いよいよ〝終わりの始まり〟です。

［アッバース朝　崩壊の理由］
領土の急速な拡大が限界に達したため。(＊28)

アッバース朝が生まれたわずか6年後（756年）、はやくも後ウマイヤ朝が生まれます。

これは今までつねに「ひとつ」でありつづけたイスラーム帝国が「2つ」に分かれたことで画期的事件でしたが、ひとたび分裂しはじめるや、それが「3つ」「4つ」と四分五裂していくのに、さして時間はかかりませんでした。

まもなく、帝都《バグダード》以西ではイドリース朝、アグラブ朝、トゥルーン朝、ファーティマ朝が、以東ではターヒル朝、サッファール朝、サーマーン朝、ブワイフ朝など、ぞくぞくと独立国家が群雄割拠しはじめ、アッバース朝はアッという間にバラバラに解体、手足をもが

（＊27）イスラーム教徒のことを「ムスリム」、異民族（非アラブ人）でありながらムスリムに改宗した者を「マワーリー」、異民族で改宗しない者を「ジンミー」といいます。

（＊28）「歴史法則10」領域の拡大が臨界点に達したとき、一気に崩壊が始まる。

れて「バグダードとその周辺」を支配するだけの地方政権に零落《おちぶ》れていきます。

そしてそれは、今日に至るまでふたたび「ひとつ」に戻ることは二度とありませんでしたし、未来においてもムリでしょう。(*29)

軍の弱体化

じつは、右に挙げた「アッバース朝から独立していった国々」はほとんどアラブ人かイラン人が打ち建てたものです。

ところがさらに時代が下っていくと、それらの諸小国はことごとくトルコ系王朝に呑み込まれていくことになります。

なぜでしょうか。

じつは、アッバース朝解体の理由として、さきに挙げた「膨張が止まった」ことの他に、もうひとつ重大な理由があり、それがジワジワと表面化してきたためです。

そのもうひとつの理由とは、「支配者階級アラブ人たちの軟弱化」です。

そもそもイスラーム帝国の拡大を支えていたのは「〝宗教的情熱〟に燃える命知らずの兵」たちのおかげだということはすでに触れましたが（142ページ）、その彼らは帝国の拡大とともに莫大な富を得ると、たちまち「命」が惜しくなります。

――毎日たらふく食べられるおいしい食事。美しい愛人たち。

多くの奴隷を抱えた何不自由ない楽園《ジャンナ》のごとき豊かな暮らし。

べつに命を賭して戦って、死んで楽園《ジャンナ》に逝かずとも、今日の前に楽園《ジャンナ》があるではないか！　これを手放したくはない！

このように建国当初のハングリー精神を失い、豊かになって軟弱化した者たちによって構成された軍など、使い物になりません。

屈強な軍によって支えられてきた帝国が、その支えを失ったらどうなるかは火を見るより明らかです。

そこで彼らが採った手段が「外人傭兵」でした。

ローマの章でも、「自分の身を自分で護る市民軍」が崩壊したあと、彼らが採った手段がやはり「外人傭兵」だったことを思い浮かべれば、洋の東西と古今を問わず、人は歴史から学ぶことなく、おなじ過ちを繰り返すものだということを再確認させられます。(＊30)


(＊29)　2014年にシリア・イラクにまたがって独立宣言した「イスラーム国」(ＩＳ)は、「全イスラーム世界を再統一する」と宣言しましたがダメでした。

(＊30)　「歴史法則19」歴史は繰り返す。延々と。

■歴史法則29■
自国防衛を外民族に委ねるようになった国は亡びる。

ローマの時代、ローマの辺境にあって腕っぷしの強い外民族といえばゲルマン人でしたから、ゲルマン人傭兵を雇いましたが、その後、たちまち収拾がつかない混乱となって、ついにはその「ゲルマン人傭兵」によって亡ぼされることになりました。

この時代、アッバース朝の辺境にあって腕っぷしの強い外民族といえば、中央アジアにいたトルコ人です。

そこで、イスラーム帝国ではトルコ人を中心とした傭兵(*31)軍が編成されるようになりましたが、案の定、やがてそのトルコ人傭兵軍団《マムルーク》に国を奪われ、ローマとおなじ道を辿っていくことになったのでした(*32)。

宗派分裂

もともとイスラーム教団《ウンマ》の強みは、使徒《ラスール》ムハンマドが「神《アッラー》の声が聞こえる！」と主張することによって〝絶対的カリスマ〟を纏《まと》うのに成功したことです。

ムハンマドの発言は「神《アッラー》のご意志そのもの」となりますから、信者《ムスリム》たちがその言葉に反論するなど以ての外《ほか》、疑念を挟むことすら赦《ゆる》されず、信者《ムスリム》は何も考えずにただただムハンマドの言うがまま、１００％盲目的にその指示に従って動くしかありません。

でもそのおかげで、組織全体に一糸乱れぬ動きができ、教団《ウンマ》はおどろくべき拡大をしていくことが可能となったのですが、こうした組織は一見「強固で堅牢な組織」のように見えて、そのじつ極めてもろいものです。

その紐帯《ちゅうたい》となっている「指導者」が健在である間はよいのですが、これを失った途端、たちまち崩壊をはじめるからです。

ムハンマド亡きあと、教団《ウンマ》に動揺が走ったのは当然でした。

そこで教団《ウンマ》は、「神の使徒《ムハンマド》の後継者《カリフ》」という地位を作り、「後継者《カリフ》の言葉はムハンマド様の言葉と同等」として〝カリスマの継承〟を試みます。

しかし、これだけでは万全ではありません。

「後継者《カリフ》には神《アッラー》の声が聞こえるわけでもないのに、ムハンマド様と同等っておかしいで

（＊31）これを「マムルーク」と言います。

（＊32）「歴史法則16」その国の成立・発展の礎となったものが、その国の衰退・滅亡の原因となっていく。

はないか！」と疑念を持つ者が現れるためです(*33)。

これを抑えるのに有効なのは、「説得」ではなく「考える余裕を与えないこと」です。

このため、ムハンマド亡きあとの教団《ウンマ》にはどうしても「外敵」が必要でした。

ムハンマドの死後、狂ったように膨張をはじめた理由のひとつでもあります。

傍から見る分には、どんどん領土を拡大して勢いのあるように見えますが、じつは、そうすることでしか結束を維持できない、たいへん殆うい状態に陥っていたということです。


ところがアッバース朝が成立したころ、その膨張も限界に達します。

となれば、内なる結束のタガが緩むため、今度はカリフの正式名称を「ムハンマドの後《カ》継者《リフ》」から「神《アッラー》の後継者《カリフ》」に変えることで、カリフ権威の強化を図ります。

しかし、それとて焼け石に水。

カリフの権威を認めない「シーア派」の王朝(*34)まで現れはじめ、単にイスラーム帝国が政治的に分裂しただけではない、宗教的にも完全に分裂していくことになります。

カリスマによって成立した教団《ウンマ》は、カリスマの死とともに崩壊が始まり、その崩壊を食い止めるための唯一の策、膨張戦争も、それが限界に達するとともに解体していったのでした。

［アッバース朝　解体の理由］
・富を得たことによる支配者階級の軟弱化と軍部の外注化。
・カリフの権威の後退とシーア派の抬頭。

こうしてイスラームは、政治的にも宗教的にも民族的にもバラバラに解体していきます。

オスマン帝国の発展

ところで、羅貫中《らかんちゅう》の『三国志演義』の冒頭にこんな言葉があります。

――天下の大勢は、分かれて久しければばかならず合し、合して久しければばかならず分かる。

（＊33）実際、そうした者たちがぞくぞくと現れました。
（＊34）イドリース朝・ファーティマ朝・ブワイフ朝など。さらに時代が下れば、サファヴィー朝・カージャール朝・パフレヴィー朝など。

「バラバラに解体したものは、時が経てばやがては統合に向かうものだし、ひとつにくっついているものは、いずれ解体していくものだ」という意味です。

　ひとたびバラバラに解体していったイスラーム世界でしたが、ふたたび糾合に向かい、再統一とは行かぬまでもイスラーム世界の中枢部分をほとんど併呑するような大帝国が生まれたことは何度かありました。

　セルジューク朝やチムール帝国などは、その例ですが、その最たるものをひとつ挙げるなら、やはり「オスマン帝国」でしょう(*35)。

　この国は、1299年ごろ、現在のトルコの田舎町に生まれた小さな小さな地方政権から興りましたが、ローマ帝国・ビザンツ帝国から引き継いだコンスタンティノープルという重大な〝戦略的拠点〟を押さえ、みるみるうちにその領土を広げ、東地中海を内海としてヨーロッパ大陸・アジア大陸・アフリカ大陸を股にかける大帝国となります。

　大帝国というものは総じて短命（200年未満）なものですが、この国はなんと600年にわたって君臨しつづけています。

　300年保《も》てば長期政権、500年保つ国家は滅多になく、ましてやそれが大帝国となると極めて稀有なことです。

　ではなぜ、オスマン帝国はこれほどの領域と長寿を兼ね備えることができたのでしょう

オスマン帝国とサファヴィー朝の領域

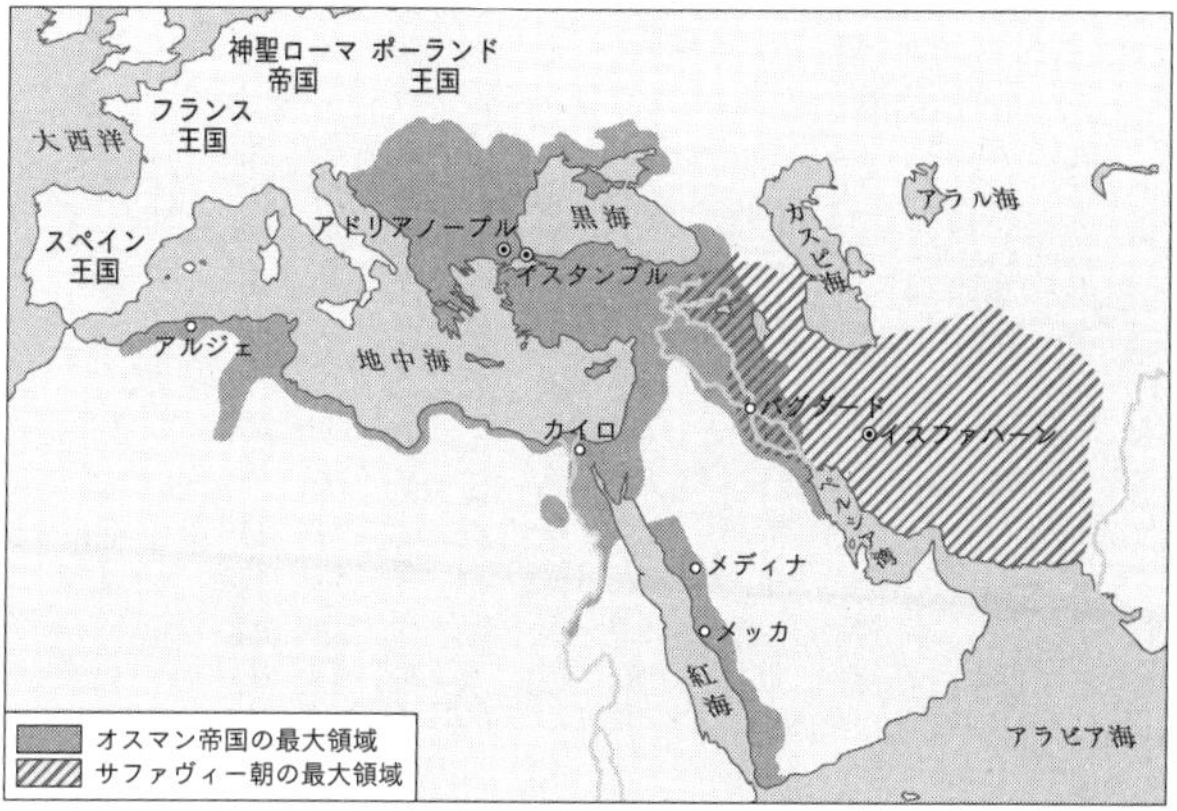

か。

強力なイェニチェリ軍団

まずその第一に挙げられるのは、オスマン帝国軍「イェニチェリ」（＊36）の強さでしょう。

その「死をも怖れぬ屈強な軍団」は当時から敵国の語り草となっていて、

・まだ戦火も交えぬうち、地平線のさきからイェニチェリの軍靴の音が聞こえてくるだけで敵兵は怯えて浮き足立つ。

・枢機卿スカランボをして「イェニチェリは不敗の軍、彼らと戦おうとすること自体が愚行である」と言わしめる。

・むずかる子に「トルコ人が来るぞ！」というと震えあがる。（＊37）

……などなど、その手の逸話に事欠きませ

ん。

では、イェニチェリはどのようにしてそれほどの強さを身に付けることができたのでしょうか。

その秘密は、イェニチェリ育成の方法にありました。

オスマン帝国が多くのキリスト教国がひしめきあうバルカン半島に進出したとき、これらの国々との戦争で多くの戦争孤児が発生しましたが、なんとオスマンは、両親を失った敵兵の戦争孤児を集めてこれを軍人奴隷《カプクル》に編入し、イスラームに改宗させ、トルコ語・クルアーン・忠誠・軍人教育を徹底的に叩き込みました(*38)。

オスマン帝国は、なぜわざわざ好き好んで敵兵のキリスト教子弟を拾い育てたのでしょうか。

じつは、さきほども触れてまいりましたように、オスマン帝国が生まれるまで、イスラーム世界は四分五裂していましたが、それはトルコ人傭兵軍団《マムルーク》に王朝を乗っ取られてしまうのが常態となっていたからです(158ページ)。

前王朝の傭兵軍団《マムルーク》が軍事反乱を起こして独立し、そうして生まれた新しいトルコ人王朝も、またその傭兵軍団《マムルーク》によって反乱を起こされて亡びていく。

こうしたことが繰り返されており、そもそもオスマン帝国自体がそうして生まれた国です。

そこでオスマンは考えました。

――この負の連鎖を断ち切るためには、トルコ人に軍権を与えないことだ！

こうしてオスマンが目を付けたのが、目の前で泣き叫ぶ敵兵の戦争孤児だったのです。

同胞のトルコ人より、王朝となんの繋がりもない彼らだからこそかえって玉座を狙われる危惧もなく、教育次第で絶対に裏切らない精鋭部隊を創りあげることも可能と考えたのでした。

（＊35）セルジューク朝やチムール帝国も、その領域だけみれば、オスマン帝国に比肩する大帝国でしたが、オスマン帝国と比べて明らかに見劣りするのがその寿命です。この二大帝国はいずれも１００年ほどで崩壊してしまった短期政権だったのに対し、オスマン帝国は６００年もつづきました。

（＊36）「新しい軍隊」の意。

（＊37）中国では「張遼《ちょうりょう》が来るぞ！」、イタリアでは「ハンニバルが来るぞ」というと泣く子も黙ったそうで、その東ヨーロッパ版。

（＊38）これを「ペンチック制」と言います。第3代ムラート1世のときに確立したといわれていますが、これは効率が悪かったため、第4代バヤジット1世の御世になって、キリスト教徒の一般家庭から強制的に徴用するシステム（デウシルメ制）に変更されます。

――お前たちはただ皇帝《スルタン》への絶対忠誠のために生まれてきたのだ！

物心付くか付かないかの子供にこうした洗脳が施されれば、たちまち「皇帝のために命を棄てられれば無上の歓び」と信じて疑わない兵となっていきます。

さきほども触れましたように、「命知らずの軍」は得難いものですが、ひとたび手に入れることができれば、これほど強いものはありません（142ページ）。

そのうえこの軍団は「常備軍」で、常時戦闘が可能なのも強み。

これに対して、当時のヨーロッパはまだ時代は中世、社会システムは封建制、軍事システムは「半士半農」が基本でしたから農繁期には戦えない有様で、イェニチェリを前にしてまったく太刀打ちできなかったのです。

柔らかな専制

そして、第二に挙げられるのは、オスマンの統治体制の柔軟性です。

オスマン帝国は建国当初、アナトリア半島の寒村ソユトというところに割拠した辺境領主《ウジベイ》のひとつにすぎませんでした(*39)が、初代オスマン1世の御世《みよ》、一代でアナトリア半島北西部の覇者となります。

これまで「組織の安定は拡大を促すが、拡大は組織を破壊する(*40)」ということをさんざん見てまいりました。

このときのオスマンも例外ではなく、こうして「複数の都市と広大な領地」を支配するようになると、今までのような「小さな辺境《ウジ》の村」の支配に特化された単純《シンプル》な統治システムではうまく機能しません。

――カニは成長とともにその硬い殻を脱ぎ捨てて脱皮する。

同じように、国家もまた領土規模の拡張とともに、その規模に見合った新しい行政システムに〝脱皮〟してゆかなければなりません。

この脱皮（行政改革）に成功すればさらなる成長（発展・拡大）が望めますが、失敗すれば「死」（滅亡）が待つのみです。

そして、こうした組織改革を成功させるためには、為政者に新しいものを受け容れる柔軟性が必要になります。

（＊39）したがって、建国当初のオスマンは厳密には「帝国」ではなく「ベイ（君侯）国」であり、第3代ムラート1世のころからスルタンを自称しはじめて「スルタン（王）国」となるのですが、話がややこしくなるため、通常、「ベイ国」「スルタン国」をひっくるめて「帝国」と呼びます。

（＊40）「歴史法則03」組織の安定は対外的膨張を促す。「歴史法則04」急激な変化は、組織を破壊する。

ローマの章を思い出してみても分かります。

ローマが人類史にその名を刻むほどの大発展が可能となったのも、その「柔軟性」にありました。

ローマの領土が拡大するたびに社会矛盾が膨らみ、その社会矛盾の中で悶絶した平民《プレブス》たちが民主化闘争を起こすと、その都度、貴族《パトリキ》たちは平民《プレブス》たちの要求を受け容れるという〝柔軟性〟を示し、体制改革に成功しました（26ページ）。

この柔軟性がローマの発展を支えたことを学んできました。

逆に、その柔軟性を失い硬直化（保守化）したとき、その組織は衰亡へと向かっていくことになります。

ローマにおいても、「グラックス兄弟の改革」では、貴族たちがその柔軟性を失ったことが証明され、以降、混乱期へと突入していきました。

組織の発展と拡大には、この「為政者の柔軟性」が欠かせません。

由是観之《これによりてこれをみるに》。

第2代オルハン1世の御世（c．1324～c．1360年）、今後もオスマンが発展できるのか、このまま歴史の中に埋もれて消えていくのかは、この行政改革の成否にかかっていますが、オルハン1世はこれを見事に成功させます。

まずは官僚制を整備して、君主《ベイ》を頂点として、その下に行政・軍事・司法の三権(＊41)を設置。

その行政長官が「宰相《ワズィール》」、軍事長官が「軍司令官《ベイレルベイ》」、司法長官が「法官《カドゥ》」。

軍司令官《ベイレルベイ》だけは絶対的信用のおける帝室から選ばれたものの、宰相《ワズィール》や法官《カドゥ》に至っては人種・身分に関係なく取り立てられました。

この改革の成功により、オスマンはさらなる発展が可能となり、つぎの第3代ムラート1世の御世（c．1360～89年）には、ついにダーダネルス海峡を乗り越えてアドリアノープルを占領し（1361年）、マリッツァ河畔の戦い（1371年）、ソフィアの戦い（1385年）、コソヴォポリエの戦い（1389年）とキリスト教国に連戦連勝、バルカン半島のキリスト教世界を領有することに成功します。

しかしこうなると、ふたたび「拡大は組織を破壊する」という歴史原則が働いて、はやくも新しい行政改革の必要に迫られることになります。

これまで行政システムは「イスラーム世界の統治専用」だったため、「キリスト教世界

（＊41）現代で「三権」といえば司法・立法・行政ですが、イスラーム世界では「立法」という発想はありません。法は〝神が定めるもの〟であって〝人間が定めるもの〟ではないからです。

の統治に対応」したものに改革しなければなりません。

異文化世界の統治というのは、たいへんな困難を伴うものです[*42]。

しかし、オスマンは今回もその〝柔軟さ〟で困難な行政改革を乗り切ります。

まずは、この2つの異文化圏をはっきりと区分するため、イスラーム圏のアナトリア半島には「アナドル州」を、キリスト教圏のバルカン半島には「ルメリ州」の2州を設置[*43]し、それぞれの州《ベイレルベイリク》の下には「県《サンジャク》」を、県の下には「郡《ガザ》」、さらに「郷《ナーヒエ》」「村《キョイ》」が設置されます。

中央はさらに官僚制度を複雑化し、「御前会議《ディヴァーヌヒユマユン》」が新たに設置され、大宰相《ヴェズイラザム》・財務《デフテ》長官《ルダル》・大法官《カザスケル》・国璽尚書《ニシャンジュ》の4長官体制で国家運営が図られるようになります。

軍事改革も断行され、さきに触れました「イェニチェリ」（163ページ）はこのときに導入されました。

このように、組織にはその規模にもっともマッチしたシステムというものがあり、規模が拡大するたびに組織変革を図らねばなりませんが、これを成功させた組織だけが発展することを赦されるのです。

紛争がなかったオスマン帝国

第三に挙げられるのは、オスマンの統治方式です。

旧オスマン帝国領は、現在のバルカン半島諸国からトルコ・イラク・シリア・イスラエル・エジプト・スーダン・リビア・チュニジア・アルジェリアにもおよぶ広大なものでしたが、これらの地域は現在、ほとんどすべて民族紛争、宗教紛争のるつぼとなっており、テロが毎日のように起こっている地域です。

しかし、オスマン帝国時代にはこうした紛争はほとんどありませんでした。

もちろん当時も民族的な対立や宗教的な反目はありましたが、現在のような際限のない激しい対立・紛争・テロへと発展するものではなかったのです。

これは、オスマン帝国が力ずくで抑えつけていたという側面もありますが、それよりその支配体制がたいへん緩やかだったことが大きい。

（＊42）その困難さは、中国史において、漢民族を支配下に置こうとした北方民族がなかなか成功できなかったことを思い浮かべても、よく理解できるかと思います。

（＊43）征服王朝の遼が遊牧民の地に「北面官」、農耕民の地に「南面官」を設置して別々に統治したのと同じです。

とかくイスラームというと、「強圧的で非人道的な圧政が繰り広げられた」ようなイメージが先行しがちですが、これはヨーロッパ人の勝手な先入観による誤解です。
オスマン帝国も「トルコ人を支配階級とした周辺異民族に搾取の限りを尽くした専制帝国に違いない」という白人による勝手な思い込みから「オスマン・トルコ帝国」と呼ばれるようになりましたが、これは完全な誤解で、オスマン軍部はトルコ人だけで構成されたものではありませんでしたし、行政府もトルコ人であろうがなかろうが、それどころか羊飼いなどの下層民や奴隷身分であっても、優秀な人材であれば県知事《サンジャクベイ》やその上の州知事《ベイレルベイ》に取り立てられましたし、果ては、中央の宰相《ワズィール》、大宰相《ヴェズィラザム》(＊44)になる途《みち》すら開かれていました。(＊45)

さらに、帝国内においては宗教弾圧・民族弾圧も行われず、たとえユダヤ教徒であってもキリスト教徒であっても信教の自由は保障され、のみならず、地域ごとの社会制度もそのまま実施され、トルコ語以外の各地言語を話すことも出版することも認められ、自治も与えられます。(＊46)

もしオスマンが、自らの民トルコ人のみを支配者階級として優遇し、異民族を抑圧する政治システムを採用していたならば、ウマイヤ朝のように異民族の反発を受けて短期間で亡んでいたことでしょう。

［オスマン帝国　発展の理由］
・時代に即して制度改革を成し遂げることができる柔軟性。
・自民族を特権階級とすることなく、才能を重視して、異民族・身分を問わず出世の途を開いた開放性。
・命知らずの屈強な常備軍を手に入れることに成功した。

時代遅れになったイェニチェリ

このようにオスマン帝国は、時代に即してただちに体質改善を図ることができる「柔軟

（＊44）「大宰相」が首相、「宰相」は大臣クラス。

（＊45）したがって、「オスマン・トルコ」という呼び名はふさわしくないと、最近では「オスマン帝国」とか「オスマン朝」と呼び、「トルコ」の名を冠しなくなっています。

（＊46）こうしたシステムを「ミッレト制」といいますが、オスマンに限らずイスラーム世界では空気のように当たり前の制度だったため名前すら存在せず、「ミッレト」というのは後世のヨーロッパ人によって名づけられたものです。

性」と、オスマン皇帝に絶対忠誠を誓う「命知らずの屈強な軍」を武器に、「ヨーロッパ大陸・アジア大陸・アフリカ大陸の三大陸にまたがる大帝国」となり、600年もの栄華を誇ることになったのです。

しかし。

どんなに偉大なる帝国も、衰亡の道を免れることはできません。

――その国の成立・発展の礎となったものが、その国の衰退・滅亡の原因となっていく。(＊47)

オスマン帝国もまた、その例外ではありません。

オスマン帝国の発展が「イェニチェリ」と「柔軟性」に支えられたというのなら、それを失ったとき、帝国はただ消え去るのみです。

まずイェニチェリを見ていくと、イェニチェリは高給のうえ、さまざまな特権が与えられるなどたいへんな優遇を受け、中には皇帝の側近として仕えて権勢を誇る者まで現れましたが、身分としてはあくまでも「奴隷」であり、結婚することは許されない身分でした。

結婚などをして子を持ち、家庭を持てば、命を惜しがるようになり、イェニチェリの弱体化が考えられますし、デウシルメ制に拠らず、その子が親の地位を継承するようになれば、自らの家柄を護ることが優先され、皇帝《スルタン》への忠誠心も薄くなってくるためです。

しかし、人間の本能には抗《あらが》えないものです。

たとえ法的には結婚できなくても、イェニチェリたちは内縁の妻を持つようになり、その間に子を持つようになります。

そうなれば、「自分の地位・財産・権力を我が子に継がせたい！」と思うのが人情で、やがて皇帝《スルタン》にも顔が利く有力なイェニチェリが皇帝《スルタン》を説得し、妻帯と世襲が許されるようになってしまいました。

こうしてイェニチェリは兵として弱体化していったばかりか、権勢は親から子に伝えられるようになり、気に入らない大宰相《ヴェズィラザム》あるいは皇帝《スルタン》を廃立するまでになります。(＊48)

このようなイェニチェリの弱体化に加え、18世紀後半には産業革命を起こして近代化したヨーロッパ軍が押し寄せてくるようになると、旧態依然としたイェニチェリは完全な時代遅れとなり、あの無敵を誇ったイェニチェリがウソのように敗退を重ねていくことになります。

「新しい軍《イェニチェリ》」という名もむなしいばかり。

(＊47)　「歴史法則16」
(＊48)　これは、中国における宦官・外戚の悪弊と似ています。

この事実を前にして、近代化改革の必要性は誰の目にも明らか。

となれば、オスマン帝国の強み〝柔軟性〟を以て、一刻も早く行政改革・軍制改革を断行しなければ！

しかし。

何度近代化改革を試みても、あいつぐ失敗、失敗、失敗。

あれほど改革において柔軟性を示したオスマンが、なぜ？

その原因のひとつには、オスマン帝国が長く繁栄を謳歌する中で、政府中枢も軍部もすみずみまで腐敗し、〝柔軟性〟どころか、見る影もなく〝硬直化〟してしまっていたためです。

平和と繁栄が腐敗と衰退を招く

人は繁栄と平和の中にあるとき、それが永遠につづくことを希求しますし、また実際そうなると思うものです(＊49)。

——平和が大切！　平和を護ろう！　平和万歳！

口を開けば、平和！　平和！　平和！

しかしながら、社会を腐敗させ混乱と戦乱を誘発させている最大の原因が「平和」であることを理解している人は少ない。

いつの時代もどこの国も、社会の腐敗は平和の中で醸成されますから、平和が長くつづけばつづくほど、腐敗は社会の隅々まで行き渡り、いったん平和が破れたとき、つぎにやってくる混乱の時代は長く悲惨なものになります。

混乱・停滞・混迷はいやだからといって、それを避け、平和にしがみつけば、それだけシッペ返しも大きくなるのです。

■歴史法則30■
平和が社会を腐敗させ、繁栄が混乱と衰退を招き寄せる。


たとえば。

誰しも地震など起きてほしくありません。


(＊49)　1929年3月、アメリカ合衆国のフーヴァー大統領は、その絶頂期にあって「我がアメリカ合衆国は永遠に繁栄しつづけるであろう！」と豪語したものです。すぐそこまで破滅の跫音《あしおと》（1929年10月世界大恐慌）が迫っていることなど想像すらできずに。

できるなら、永久に地震が来ないことを願うばかりです。

しかし、実際には地震のない期間が長引けば長引くほど、そのぶん地下奥深くで地震エネルギーが蓄えられていきますから、巨大地震となって甚大なる災いとして我々に襲いかかって来ます。

これは〝自然の摂理〟であって、断じて避けることはできません。

これと同じように、平和が長くつづけばつづくほど、社会の腐敗が奥深くまで進行し、ひとたびその均衡が破れたとき、混乱と混迷はおぞましき災厄となって我々に降りかかるのです(*50)。

歴史を紐解けば、平和というものは半世紀つづくことすら稀です。

しかし、オスマン帝国はスレイマン大帝のころから100年という長期にわたって平和を甘受しました。

この「あまりに長すぎる平和(*51)」こそがオスマン帝国の政治・経済・軍事・社会の隅々まで腐敗させてしまったのでした。

したがって、いざ「改革」を迫られる事態に陥っても、とうにそれを実現する力を失っていたのです。

［オスマン帝国　衰退の理由］
長い平和と繁栄が、政治・社会を腐敗させ、制度を硬直化させ、軍隊を弱体化させたため。

近代化を阻む最大の障害

しかし、オスマンに限らず、この18世紀、19世紀にはイスラーム各国が近代化を試みましたが、そのことごとくが失敗しています。

そこにはイスラーム諸国の近代化を阻むもっと根深い、もっと深刻な理由があったためです。

（＊50）したがって平和も「ほどほど」が一番よい。そうすれば、つぎの混迷も「ほどほど」でつぎの平和がやってきます。

（＊51）日本も太平洋戦争終結から75年間にわたって平和を享受してきました。すでに人類史上稀な〝異常事態〟です。日本はこれから本格的な混迷時代へ入るでしょう。

それは「イスラームという宗教そのもの」です。

これまでイスラーム世界の発展と結束を支えてきたのが「イスラーム」という宗教でしたが、時を経た今、そのイスラームこそが近代化を阻む最大の障害となっていたのです。(＊52)

なぜでしょうか。

たとえば軍隊の近代化をしようと思ったとき、「旧来の兵に近代兵器を持たせればよい」という単純な問題ではありません。

その受け皿となる社会システム全体も近代化しなければ、せっかくの近代兵器も効果を発揮しないためです。

たとえば、義務教育制度の導入。

刀や槍の時代ならいざしらず、大砲や戦艦などの近代兵器の使用には、どうしても熟練した操作が必要になるため、無学文盲の兵ではこれを自在に使いこなすことができず、大砲は何百発撃っても当たらない、戦艦は動かないという事態に陥ります。

そのため、兵にはこれを使いこなせるだけの一定の教育を施さなければなりません。

またたとえば、身分制度の廃止。

これまで歩兵同士の戦争では、「密集した兵の塊（陣）」を組んで、これを敵にぶつけるのが効果的でした。

したがって、洋の東西を問わず、さまざまな「陣」が考案されたものです。

しかし、銃火器の使用が一般化するようになると、旧来の「密集戦術」では大砲などの格好の餌食《えじき》となって大損害を出してしまうため、近代戦では「散兵戦術」の方が有利になります。

ところが、この散兵戦術を可能とするためには、兵のひとりひとりが愛国心と戦闘意欲に満ち、戦争の意義と戦術の意味をよく理解していなければなりません。

そこで邪魔になってくるのが身分制度です。

身分制社会では、下層身分の者をムリヤリ徴兵して戦場に駆り出したとしても、「なんで俺たちが、支配身分たちが贅沢をするための社会を守るために命を賭けて戦わにゃならんのだ？」(＊53)となるため、極めて士気の低い軍団になり、彼らを動かすためには、つねに支配身分が将軍となって彼らが戦場から逃げ出さないように眼を光らせておかなければならず、とても「散兵戦術」などできません。

（＊52）「歴史法則16」その国の成立・発展の礎となったものが、その国の衰退・滅亡の原因となっていく。

（＊53）第一次世界大戦時のロシア軍がこんな感じでした。身分制度を残したまま農民たちを徴兵した結果、前線のロシア兵は戦う前からつぎつぎと降伏していったと言います。

散兵戦術を可能とするためには、身分制度を廃し、近代的な意味での〝国民〟を創設し、彼らに権利と義務を与え、教育を施し、愛国心に燃え、みずから考え、自立して動くことのできる士気の高い「国民軍」を創設しなければなりません。

他にも例を挙げればキリがありませんが、要するに、近代兵器の潜在能力を発揮させるためには、その土台として「西欧文明の政治・経済・教育・社会の制度全般」の導入がどうしても必要になるのですが、これがイスラーム社会にとってはほとんど不可能に近いのです。

神の教えとキリスト教徒

なんとなれば、ムスリムたちは「イスラームの教えが絶対正しく、これを忠実に守っていればかならず救われる」と信じて疑わない者たちだからです。

どんなすばらしい教えもかならず生まれた時代の社会規範に縛られているものです。したがって時が経って、その基盤となっていた社会規範そのものが移り変わってしまえば、古い時代に生まれた教えとの間に価値観の大きな隔たりが生じることを避けることはできません。

■歴史法則31■
どんなにすばらしい思想・教え・理念・制度もかならず古くなる。

たとえば、キリスト教徒の聖典『聖書《バイブル》』には以下のような聖句《スクリプチャ》があります。

「信者は毒を飲んでも害を受けず、病気もたちまち治り、不死となる[＊54]」

「女は着飾ったりしてはならない、男の上に立って指導してはならない[＊55]」

「占い師、霊能者はこれを石で打って殺せ[＊56]」

「親に逆らう子はムチで打て。それでも従わなくば石で打って殺せ[＊57]」

　しかし、現在のキリスト教徒は、毒をあおげば健康を害するし、病気になれば医者にかかるし、寿命で死ぬし、反抗期の子を殺しません。


（＊54）『新約聖書』マルコ伝（16：18）、マタイ伝（17：14～20）、ヨハネ伝（8：51）など。

（＊55）『新約聖書』テモテへの手紙1（2：9～12）。

（＊56）『旧約聖書』レビ記（20：27）、申命記（18：10～12）など。

（＊57）『旧約聖書』箴言（23：13）、申命記（21：18～21）など。

聖書《バイブル》が成立した時代と現代とではまるで価値観が違いますので、古代においてはこうしたムチャな教えも通用したかもしれませんが、現代においてはまるで通用しないためです。

キリスト教徒は、こうして時代に合わなくなった教えに対して、こじつけ・詭弁《きべん》・ヘリクツの限りを尽くして曲解、歪曲、あるいは黙殺という荒業で自分たちの価値観に当てはまるよう、きれいに整形してしまう〝要領の良さ〟があります。

聖書《バイブル》にははっきりと「我（神）が汝らに命ずるこの言葉（聖書《バイブル》の聖句《スクリプチャ》）を、すべて言葉どおり忠実に守りて行うべし。これに何ひとつ加えるべからず。減らすべからず(＊58)」と神の厳命がなされているにもかかわらず。

神の教えとムスリム

こうした〝御都合主義〟むき出しのキリスト教徒とは対照的に、ムスリムたちは信仰に対して極めて敬虔《けいけん》で真摯《シビア》です。

彼らはどれほど時代が移り変わろうとも、クルアーンに記された聖句《アーヤ》は絶対であり、これを言葉どおり忠実に守ろうとします。(＊59)

したがって現代でも、1日24時間1年365日、クルアーンの教えが政治・経済・法律・軍事・文化・学問の隅々まで浸透した社会の中に生きていますから、近代化の際に「キリスト教的価値観の中から生まれた社会システム」を導入しようとすると、どうしてもキリスト教的な価値観を取り入れざるを得ませんが、それが彼らに拒絶反応《アナフィラキシーショック》を起こしてしまい、近代化できずに悶絶することになります。

神のご加護が効かない！

ところで、イスラームに限らず宗教というものは、「信仰」という行為に対し、かならずその見返り（御利益《ごりやく》）を期待されます(*60)。

イスラームの場合、死にしのちには「人間が考え得る限りのすばらしい楽園《ジャンナ》に入ることができる」という来世利益と、生前にあっては「つねに〝神《アッラー》のご加護〟が得られる」と

（*58）『旧約聖書』申命記（13：1）。

（*59）クルアーンに書かれていないことはムハンマドの言行（ハディース）を、ハディースでも分からないことは共同体の合意（イジュマ）を、それでも解決しないことは法学者たちの類推（キャース）を価値基準の根底に置きました。

（*60）およそ「なんの御利益もない宗教」というものはありません。もっとも、キリスト教をはじめ、「御利益宗教などではない！」と必死に事実を隠そうとする宗教ならいくらでもありますが。

いう現世利益があります。

したがって、近代化などできなくてもイスラーム社会はどこ吹く風。

むしろ、近代化など必要ない。

なぜならば、我々には〝神《アッラー》のご加護〟があるのだから。

しかし、こうした理念が彼らを悶絶させることになります。

18〜19世紀になると、近代化を推し進めた欧米列強が、大挙してAA圏（アジア・アフリカ文化圏）に侵掠《しんりゃく》してくるようになりましたが、このときイスラーム諸国はいいところなく敗走しつづけたためです。

ムスリムたちは、この現実を前にして悶絶します。

——なぜ〝神《アッラー》のご加護〟がある我々ムスリムが、それを持たない異教徒《ジンミー》（キリスト教徒）どもに負けつづけるのだ⁉

客観的・学問的観点から見れば、その答えはイスラーム世界が産業革命を起こしていないからであり、技術革新を起こしていないからであり、政治経済の近代化がなされていないからですが、彼らはそうは考えません。

彼らにとって〝神《アッラー》のご加護〟は絶対であり、産業革命など起こしていようがいまいが、社会制度の近代化をしていようがいまいが、こちらが「駱駝《らくだ》と弓」、敵が「戦車と大砲」、こちらが木造船、敵が鉄甲戦艦であっても、「神《アッラー》のご加護」がある我々が負けるはずがない、と考えます。

大砲・戦車・戦艦・戦闘機、どんな近代兵器だろうがそれはたかが人間が造った物であって、そんなものが全智全能《オールマイティ》の神《アッラー》の力に勝るはずがない！

しかし、そうは言ってみても、目の前で敗走を重ねていく事実。

この「信仰」と「現実」の矛盾を前にしてムスリムは苦悩します。

——なぜ神《アッラー》は我々をご加護して下さらないのだ⁉

ちゃんと六信五行しているのに！

原理主義の誕生

そこで、ひとつの考え方が生まれます。

——我々がきちんとクルアーンの教えを守っていれば、神《アッラー》のご加護はあるはずで、神《アッラー》のご加護があれば、戦争に負けるはずがない。

戦争に負けるということは、神《アッラー》のご加護がなくなった証拠で、それがなくなったということは、我々がクルアーンの教えを破っていることを神《アッラー》がお怒りになっている証拠である！

となれば、ふたたび神《アッラー》のご加護をいただくためには、信者《ムスリム》が正しい信仰に立ち戻り、クルアーンの教えを一言一句、徹底的に言葉どおり忠実に守ること、これ以外にありません。

さきほども触れましたように、ムスリムはキリスト教徒に比べればずっと神の言葉に忠実にあろうとする者たちですが（184ページ）、それでもやはり時代の流れの中で社会の価値観と違いすぎるところはおざなりになっている部分はありました。

たとえば、イスラーム社会ではクルアーンを根拠として、

・盗みを犯した者は腕の切断　（第5章　第38節）
・浮気をした者はムチ打ちの刑　（第24章　第2節）
・神《アッラー》を冒瀆《ぼうとく》する者は斬首刑　（第47章　第4節）

……といった刑を執行していましたが、白人社会から「残忍」「野蛮」の誹《そし》りを受け、イスラーム世界でも徐々に控えられるようになっていました。

しかし、こうした〝妥協〟こそが神《アッラー》の怒りに触れたのであり、ふたたびクルアーンの教えに立ち戻り、これを徹底させるべきである！

クルアーンに「石で打て」とあれば、躊躇《ちゅうちょ》なく石で打って殺すべきだし、「首を打ち落とせ」と書いてあれば問答無用で斬首にするべき。

我々が神《アツラー》の教えに立ち返ることで、神《アツラー》のお怒りも収まり、ふたたびご加護を受けることができよう！

こうした主張が、所謂「原理主義《ウスーリーユーン》（復興主義）」と呼ばれるものです。

したがってイスラーム世界では、社会不安が高まるたび、この「原理主義《ウスーリーユーン》」が力を付けてきます。

汎イスラーム主義

神《アツラー》のご加護がなくなってしまった原因として、もうひとつの考え方を提示したのが、ジャマール・アッディーン・アル・アフガーニー(＊61)です。

彼は説きます。

――我々イスラーム世界が、正統カリフ時代、ウマイヤ朝時代、アッバース朝時代と、つねに「ひとつ」として君臨していたころ、我々は無敵であった！

つまり、我々がヨーロッパごときに後《おく》れを取るようになったのは、イスラーム世界が

（＊61）19世紀に活躍したイスラーム思想家。イスラーム世界が欧米列強に対抗するためには、イスラーム世界が宗派・民族・国家を乗り越えて結束を図る（汎イスラーム主義）しかないと説いて、各地を廻った人物。

バラバラに解体し、ムスリム同士でいがみ合い、憎しみ合い、殺し合うようになって以降だ！

神《アッラー》は、我々ムスリム同士が仲間割れし、憎しみ合っていることを嘆かれ、その罰としてご加護を「一時停止」されておられるのだ！

我々がふたたび団結したならば、神《アッラー》のご加護が再開され、ふたたび白人どもを蹴散らすことができるだろう！


こうした思想が、所謂「汎イスラーム主義」です。

アフガーニーは、アフガニスタン、エジプト、フランス、ペルシア、トルコと各地を遊説して廻りましたが、しかしその努力もむなしく、結局彼はオスマン皇帝に殺されて、汎イスラーム運動は頓挫《とんざ》します。

イスラーム国を歴史から理解する

ところで。

かつて、中東世界の中央に「イスラーム国（ＩＳ）」と称する組織が現れ、世界を震撼《しんかん》させました。

彼らは、ムハンマドからアッバース朝初期のころまでのイスラーム帝国を「理想」に掲げて、国家元首の「カリフ」を復活させ、2020年までに宗派も民族も国家もすべて乗り越えた「全イスラーム世界の統一」を標榜し（＊62）、クルアーンの教えを一言一句言葉どおりに遵守する原理主義を主張して、2014年に独立宣言を行った組織です。

突如として現れたかと思ったら、テロの限りを尽くしてその支配地域を広げていく様に、歴史背景を知らない人は驚き、恐怖を感じたものですが、こうした歴史背景を知ったとき、彼らが「汎イスラーム主義」と「原理主義」を以て、イスラームの復権を考えていることが分かるようになります。

クルアーンの教えに縛られて、どうしても近代化できない彼らが、あくまでもクルアーンにしがみついて苦境を打開する道を探して、必死にもがいている姿が「イスラーム国」の姿なのです。

（＊62）現在のイスラーム文化圏だけでなく、過去に一度イスラーム圏下に編入されたものの現在は押し戻された地域（イベリア半島やバルカン半島など）まで含めたすべての地域をその支配下に置くことを標榜しています。

［イスラームの現在］
イスラームという宗教にすがって大発展してきたイスラーム世界は、イスラームそのものが足枷《あしかせ》となって衰退していった。

イスラーム世界の発展は、まさに「イスラーム」という強靭《きょうじん》な紐帯《ちゅうたい》が生まれ、そしてこれを率いる強力な「カリスマ」(＊63)がいたからこそ、でした。

しかし、アフガーニーが指摘するように、今や彼らは宗派がバラバラに分かれてお互いに憎しみ合う有様で、その団結力は無惨に打ち砕かれ、さらに、これを牽引しなければならない「カリスマ」も不在です。

まさに、イスラーム世界が覇権を握る理由となったものそれこそが、その後の崩壊と現在の悶絶の原因となっているのです。

現在、彼らの手によるテロが世界中で相次ぎ、各方面から非難を受けていますが、彼らの歴史を学ぶことによって、その「残忍性」だけではない、別の側面が垣間見えてきます。

すなわち。

彼らが抱く、以下のような〝もどかしさ〟に対する一種のヒステリーです。

「我々はこれほどまで敬虔に、そして真摯《しんし》にイスラームにすがっているのに、なぜ神《アッラー》のご加護がないのか⁉」

彼らは、その憤懣《ふんまん》と嘆きをよもや神《アッラー》にぶつけるわけにもいかず、弱者に向けているのです。


（＊63）預言者ムハンマドに始まり、その後継者（カリフ）たち。

［第4章］

大英帝国

――ヨーロッパの本来の姿とは

辺境の地・ヨーロッパ

さきにも触れましたように、人類文明の開闢《かいびゃく》以来、光を放ちつづけたのは、それがオリエントであったり、インドであったり、中国であったりすることはあっても、いつも原則としてアジア世界でした（130ページ）。

ヨーロッパなどは、気候的には寒冷で曇天《どんてん》がつづき、環境的には深い森に鎖《とざ》され、経済的には土地は痩《や》せ、生産性は乏しく目を瞠《みは》るような産業もないため、文明レベルも民度もおしなべて低い〝辺境の地〟のひとつにすぎませんでした。

例外的に紀元後1～2世紀前後に一度だけ、ローマ文明が光を放ったこともありましたがそれもすぐに消えていきます。

そのような歴史を歩んできたヨーロッパが、突如として燦然《さんぜん》と光り輝きはじめたのは19世紀になってからですから、人類悠久の歴史から見ればほんとうについ最近のことです。

その大きなきっかけのひとつはイスラームでした。

――次世代の光は辺境より現れる（＊01）。

中東においてイスラームが輝きを放ちはじめると、これに炙《あぶ》られる形で、その傍らにあったヨーロッパに小さな光が灯《とも》りはじめるのです。

ポルトガル・スペイン誕生

では、イスラームはどのようにヨーロッパを触発したのでしょうか。

7世紀に突如として生まれたイスラームは、わずか100年の間に東は中央アジアから西はイベリア半島に至るまで、空前の大帝国を創りあげることになりましたが、その結果、ヨーロッパ文化圏は、東はバルカン半島から、南は北アフリカ、そして西のイベリア半島に至るまで、ぐるりとイスラーム帝国に包囲されることになってしまいます。

その結果、気がつけば、ヨーロッパがアジア物産を手に入れようと思えば、「絹の道《シルクロード》」を通るにせよ、「海の道《マリンロード》」を通るにせよ、どうしてもイスラーム圏を通過せざるを得ず、彼らに高い関税を支払わなければならなくなります。

ヨーロッパは、こうしたイスラームによる包囲体制を打破せんと、12～13世紀には約200年にもわたって十字軍《クルセイダー》（1096～1270年）(＊02)という大遠征軍を繰り出し、またイベリア半島ではなんと800年近くにもおよぶ対イスラーム戦争のレコンキスタ運動（718～1492年）(＊03)が行われることになります。

（＊01）「歴史法則24」
（＊02）もともとは聖地イェルサレムを奪還しようという目的の戦争。

十字軍《クルセイダー》は、当初の宗教的熱狂がたちまち失われ、各国の利害に利用されて最終的には失敗に終わったものの、これがヨーロッパの封建体制を崩壊させる契機のひとつとなりました。

また、もうひとつのレコンキスタ運動の方は見事イベリア半島からイスラームを駆逐することに成功し、その中からポルトガルとスペインという2つの国が生まれ、これが初めての近世国家となっていきます。

〔ヨーロッパ　近世誕生の背景〕
イスラームの包囲体制を打破するための努力が、結果的にヨーロッパに近世をもたらした。

大航海時代

ポルトガルとスペインは、永年にわたってレコンキスタを戦い抜いてきたため、他のヨーロッパのどの国よりも早く諸侯の没落が進み、王権が強化されていきました。

いち早くレコンキスタを完了させたポルトガルは、1385年アヴィス朝に王朝交替すると同時に、ヨーロッパで初めて「絶対主義」を確立させ、国内で王権に逆らい得る勢力を一掃することに成功します。

――国内問題を解決した国は、外に目を向けるようになる。(＊04)

ポルトガルはヨーロッパの最西端に位置し、西に大西洋、東にカスティリア王国(＊05)に挟まれていましたから、「外に目を向ける」と言っても、そのどちらかしかありませんが、カスティリアとは親しい姻戚関係にあったため、これを攻めることは難しい。

そこでポルトガルは、好むと好まざるとにかかわらず、「海」へ向かって発展するしかありませんでした。

さきほども触れましたように、ヨーロッパとアジアを結ぶ貿易ルートは、イスラーム諸国に押さえられていたため（197ページ）、「なんとかしてアフリカ大陸を迂回してアジアと直接交易するルートを開拓できないか」とつねづね考えられていましたから、その意味で

（＊03）イベリア半島をふたたびキリスト教圏に取り戻そうとする運動。ちなみに、ポルトガルのレコンキスタ完了が１２４９年、スペインのレコンキスタ完了が１４９２年。

（＊04）「歴史法則03」組織の安定は対外的膨張を促す。

（＊05）１４７９年に、アラゴン王国と合同してスペイン王国になります。

も「海上発展」は渡りに船です。

こうしてヨーロッパは、所謂「大航海時代」に突入することになります。

ポルトガルより少し遅れてレコンキスタを完了させ、絶対主義を確立したスペインは、コロンブスの勧めもあって、「アフリカ廻り」ではなく、大西洋を西に直進する「西廻りルート」でインドを目指すことにしたところ、偶然アメリカ大陸を発見することになりました。

こうして海上発展した両国は、15世紀にポルトガルが、16世紀にはスペインがそれぞれ覇を唱えたものの、どちらも1世紀と保《も》たずに衰えていくことになります。

大西洋三角貿易

スペインが二流国家に転落していくのと入れ替わりに、17世紀にはオランダが覇を唱え、アジアとの直接交易を行って発展します。

1609年、オランダが日本の平戸《ひらど》に商館を設けたことは有名ですが、じつはこの平戸から輸入された「緑茶」がヨーロッパにもたらされたことが、以後、ヨーロッパの飲茶《ヤムチャ》ブームの火付け役となります。

もっとも、「緑茶」は暑いインド洋を何週間もかけて輸送しているうちに自然発酵し、ヨーロッパに着いたころには「紅茶」になっていました(＊06)。

彼らはこれに砂糖を入れて味を調《ととの》えたため、飲茶《ヤムチャ》の習慣の浸透とともに、今度は砂糖の大量消費が進むことになります。

――砂糖だ！　砂糖を生産すれば儲かるぞ！

そこで彼らは新大陸で、砂糖プランテーションを始め、その労働力として原住民《インディアン》を使役したものの、白人による情け容赦ない酷使と拷問と虐殺で、アッという間にその数が激減してしまい、労働力不足に喘《あえ》ぐようになります。

そこで、ラスカサス(＊07)の献策により、アフリカの黒人を奴隷として強制連行することにします。

まず、ヨーロッパで売れ残った雑貨・銃火器・綿織物などを西アフリカに輸出します。

これはどうせ在庫処分品ですから、タダみたいなものです。

(＊06) したがって、緑茶と紅茶は原料となる茶葉はおなじで、発酵させずに蒸しただけのものが緑茶、発酵させたものが紅茶になります。ちなみに、炒ったものは烏龍茶になります。

(＊07) スペインの宣教師。目の前で繰り広げられるインディアンへの虐殺に心を痛め、これをやめるよう訴えたまではよいが、「インディアンの代わりに体つきの頑強なアフリカ黒人奴隷を使えばよい」と国王に献策。それが、三角貿易開始のきっかけとなります。

大西洋三角貿易

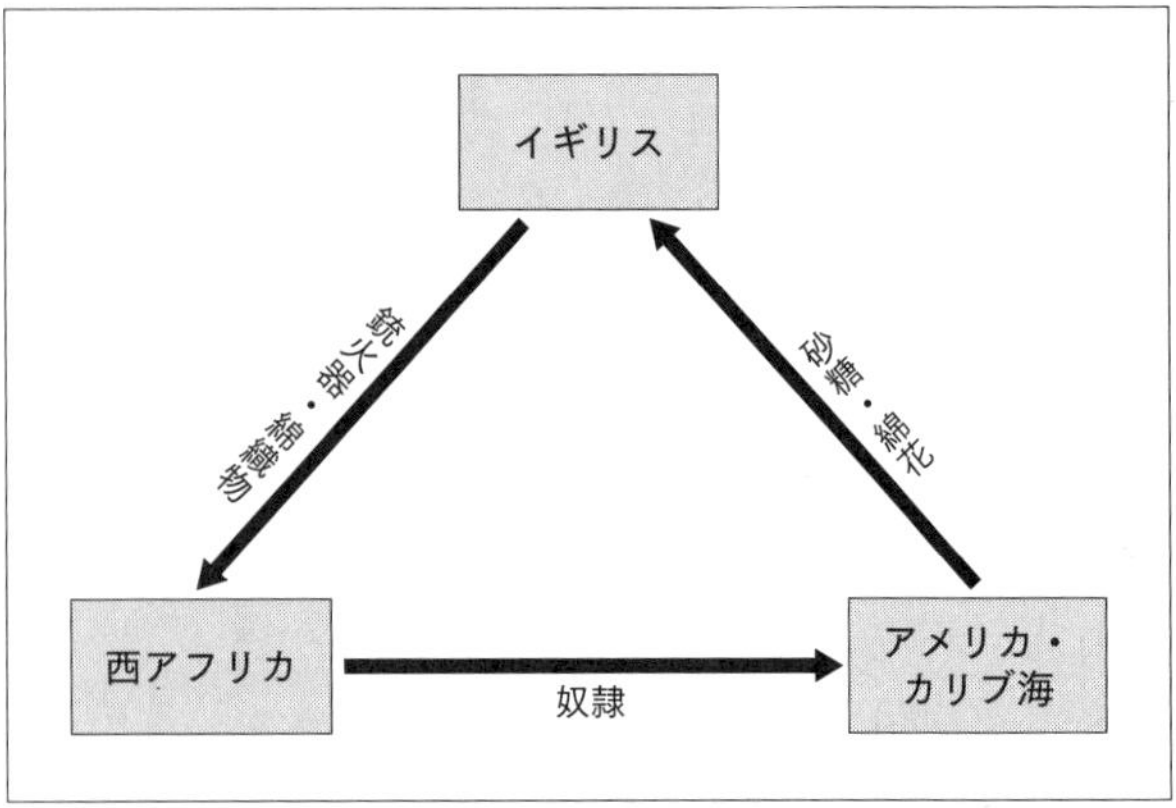

西アフリカではヨーロッパから手に入れた銃火器を使って奴隷狩りが行われ、この黒人奴隷を代金代わりに支払います。

ヨーロッパは積荷（在庫処分品）を降ろした船に黒人奴隷を満載し、そのままヨーロッパには戻らずに直接カリブ海に運んで、彼らを砂糖プランテーションの奴隷として酷使します。

こうしてアフリカから持ってきた「黒い積荷（黒人）」は、「白い積荷（砂糖）」に積み替えられ、ヨーロッパへと戻ってきます。

ヨーロッパから吐き出された〝売れ残り品〟が、アフリカ、アメリカを廻って戻ってくるだけで、あら不思議、高価な砂糖に早変わり！

これが有名な「大西洋三角貿易」です。

つまり、そうして手に入れた砂糖は「黒人たちのおびただしい屍《しかばね》でできていた」といってもよいものでした。

ひとたびこのシステムが儲かると分かれば、「もっともっと貿易量を増やして、もっともっと儲けたい！」と思うのが人情。

そこで、イギリスは最初インドから輸入してきた綿織物をそのまま西アフリカに輸出していたのですが、これを自国で生産することを試みます。

インドから輸入するより、自国で生産した方がずっと安上がりですから。

こうしてイギリスは、中世以来の主力生産品であった毛織物を捨て、綿織物生産へと切り替えていくことになりますが、そうなれば今度は原料となる綿花の安定供給が必須となるため、北米南部で綿花栽培をやらせ、これもまもなく三角貿易の貿易品目に加わるようになります。

産業革命の勃発

日に日に綿織物の貿易量が高まる中、徐々に生産が追いつかなくなってきます。

こうなると「必要は発明の母」で、ひとつの発明品が生まれました。

それが、ジョン・ケイという人物が発明した「飛び梭《フライングシャトル》」（1733年）。

綿織物を生産する産業は大きく三段階に分かれていますが、
工程①：綿繰《く》り＝奴隷を使って、綿花から繊維を取りだす作業
工程②：紡績　＝糸車を使って、繊維を紡《つむ》いで糸にし、棒に巻き付ける作業
工程③：織布　＝織機を使って、紡績された糸を織って布にする作業
……のうち「飛び梭《フライングシャトル》」は、工程③の緯糸《よこいと》を通すための織機の部品「梭《ひ》」を改良したものです。
どんな大河もその源流を遡ればたった〝一滴の雫《しずく》〟から始まります。
この「飛び梭《フライングシャトル》」の発明も、発明そのものは「バネ仕掛けで梭《ひ》が飛び出す」だけのたいへん単純《シンプル》な仕掛けで、「機械化」というほどでもない、まだ「手織り」の域を出るものではありませんでしたが、これが人類の歴史を変える産業革命の〝一滴の雫〟となります。
この発明により、織る時間（工程③）が大幅に短縮されたため、今度は紡績（工程②）の作業が追いつかなくなり、深刻な糸不足が発生します。
――せっかく飛び梭《フライングシャトル》があっても、肝心の糸が足らないんじゃ、ちっとも生産性が上がらん！
誰か大量生産できる糸車（紡績機）を発明してくれないものか。

　すると、やはり「必要は発明の母」、その要望に今度はハーグリーヴスという人物が多軸紡績機《ジェニー》（1764年）を、アークライトが水力紡績機（1771年）を、クロンプトンがミュール紡績機（1779年）をつぎつぎと発明していきます（＊08）。

　ところが今度は、これによって紡績（工程②）の生産性が織布（工程③）のそれを上回ってしまったため、今度は「飛び梭《フライングシャトル》」を超える生産性を持つ織機の発明が要望されるようになり、カートライトが力織機（1785年）を発明します。

　こうしてついに、工程②工程③のすべてが機械化され、ようやくバランスが取れたかと思いきや、工程①（綿繰り）はいまだに黒人奴隷による手作業に頼っていたため、今度は綿繰り生産が間に合わなくなります。

　そこで、ホイットニーが綿繰り機（1793年）を発明。

　さらにちょうどこのころ、当時、炭坑の排水ポンプとしての使い道しかなかった「蒸気

（＊08）ジェニー紡績機は「細いが切れやすい」糸しか作れなかったため緯《よこ》糸にしか使えず、水力紡績機は「切れにくいが太い」ため経《たて》糸用にしか使えませんでした。両者のいいとこ取りをして「細くて切れにくい」糸を紡績できるようになったものがミュール紡績機です。この紡績機が機械化されていった1770年代くらいから「産業革命段階に入った」と見做されます。

機関」がJ.《ジェームズ》ワットの改良(*09)(1769年)によって汎用性が高まり、力織機をはじめあらゆる産業機械に取りつけられるようになります。

こうなると、その蒸気機関の生産を支えるため、製鉄や機械工業の発達が促され、さらにこれらを結ぶためのインフラ整備が必要となります。

従来の運搬手段は、陸なら馬車、海なら帆船でしたが、この輸送能力では限界が生まれたため、蒸気機関を車に載せた「機関車」、船に載せた「蒸気船」が発明され、交通インフラが整備されていきます。

「飛び梭《フライングシャトル》」という小さな改良から始まった「織物革命」は、折からの蒸気機関の発明と結びついて「動力革命」を引き起こし、さらにそれが「製鉄革命」「鉄道革命」「運輸革命」と、あらゆる産業部門に改革の波が拡がっていくことになったのです。

しかし、こうした大々的な産業改革やインフラ整備には莫大な原資と労働力が必要になりますが、イギリスはこの点も条件が整っていました。

さきの三角貿易による莫大な奴隷の犠牲は産業革命を興すに足る原資を用意できましたし、このすこし前にすでにはじまっていた農業革命によって、農業生産力が飛躍的に高まったことで、人口が増加していましたから、労働力の確保も容易にできました。

こうした数々の条件がすべて揃わなければ産業革命は興そうとしても興るものではあり

ませんが、この18世紀のイギリスには、まさに奇蹟的に産業革命に必要なすべての条件が揃っていたのです。

人類が生まれてから数百万年、人類は狩猟・採集・漁労といった「獲得経済」によって日々の糧を得ていましたが、1万年前になって初めて「農業」をはじめました。

この「獲得経済から生産経済への移行」のことを「生産革命」といいますが、今回の「産業革命」は、「第二次生産革命」と言ってよいほど画期的な出来事でした。

生産革命以降1万年来ずっと「手作業(*10)」だったものが、「機械生産」という新しい生産段階に入ったのですから。

ヨーロッパの光はイギリスから

こうしていよいよ、ヨーロッパの「光」はイギリスから灯ることになります。

(*09) 従来のニューコメンによる蒸気機関は、熱効率が悪く、出力が低く、往復運動しかできませんでしたが、ワットはこれを改良し、熱効率・出力ともに劇的に高め、回転運動を可能にした結果、ここから蒸気機関があらゆる産業分野で利用されるようになります。ワットが蒸気機関の「発明者」とよく誤解されるのは、それゆえです。

(*10) 道具は使います。

スペインが強勢を誇っていたころを表す言葉として「スペイン動けば世界が震える」などという惹句《キャッチフレーズ》が巷間よく用いられますが、あれはまったくの〝誇大広告〟です。

スペインが絶頂期のころといえば、中東世界にはスレイマン大帝率いるオスマン帝国が絶頂期を迎え、インドにはアクバル大帝率いるムガール帝国が隆盛期を誇り、中国は万暦《ばんれき》帝《てい》治下の明帝国のころで、いずれもスペインがどうにかできる相手ではありませんし、実際、これらの国がスペインに〝震え〟あがった事実はまったくありません。

史実はむしろ逆で、オスマンからもムガールからも明朝からも「無数にある辺境の小国のひとつ」として軽んぜられ、歯牙《しが》にもかけられていませんでした。

当時のスペインなど、あくまで「ヨーロッパという辺境の中では一番」だったかもしれませんが、世界規模で見たときお世辞にも「光」と呼べるほど大層な代物ではなかったのです。

しかし、ここからのイギリスは違います。

これまでのどんな大帝国も成し遂げることができなかった、まさに「世界に君臨する大英帝国」はここに幕を開けます。

［大英帝国の礎］
産業革命と呼ばれる、人類史全体から見ても画期的な〝生産革命〟を興すことに成功し、半世紀にわたってこれを独占できたこと。

貧富の差の拡大

有史以来、〝地球の辺境〟と言ってもよかったイギリスが、産業革命を興したことで一気に「世界」に躍り出し、世界から莫大な富を吸い上げて、他国を一歩も二歩もリードすることになりました。

しかし。

産業革命によって世界中の富がイギリスに集まるようになって、その富は人々の暮らしをラクにしたでしょうか。

イギリスが大躍進を遂げたというのならば、それ相応の弊害もまた生まれるということです。

■歴史原則32■
利点と欠点はつねに表裏一体。

我々はすでに学んできました。

――急激な変化は、組織を破壊する。(＊11)

社会が変化するとき、多かれ少なかれかならずその変化についていけない者が現れ(＊12)、その変化が急激であればあるほど、対応できない者の割合が増え、それは深刻な社会問題となっていきます。

16世紀の宗教改革運動とともに幕を開けた「資本主義」は、産業革命の勃発によって新しい段階へと突入します(＊13)。

そして、古き佳きイギリスの牧歌的風景は消え去って、都市への人口集中が環境を破壊し、スラム街を発生させ、治安は悪化し、疫病を流行《はや》らせます。

さらに。

――殷富は富の偏在を促し、富の偏在は秩序を破壊する。(＊14)

イギリスにもたらされた莫大な富は、けっしてすべての国民に均霑《きんてん》［均しく分配］されることなく、マタイの法則（富める者はますます富み、貧する者はますます貧す）どおり、これを独占する資本家階級《ブルジョワジー》と、彼らに奴隷のごとく使役される労働者階級《プロレタリアート》に二極化し、あたかも古代中世の貴族と奴隷の関係がごとく、いえ、それ以上の格差となって社会の上下構造が隔絶していきます。

仇敵誕生

こうした状態に不満を持った労働者は、初めは非合法な「機械打ち壊し運動（ラッダイト運動）」としてその怒りをブチ撒けましたが、単発的・衝動的暴動は功を奏することなく、

（＊11）「歴史法則04」

（＊12）たとえば、半世紀ほど前の日本において、クレジットカードが普及しはじめたとき、クレジットカードの仕組みが理解できない者によるカード破産者が続出しました。たかがクレジットカードでこの有様ですから、産業革命のような革新的変化についていけない者が続出するのは当然のことと言えます。

（＊13）16～18世紀までが「商業資本主義」、第一次産業革命以降は「産業資本主義」という新しい資本主義段階へと移行します。ちなみに、第二次産業革命以降は「独占資本主義」、１９３０年代半ば以降は「修正資本主義」となって現在に至ります。

（＊14）「歴史法則05」

弾圧されて収束していきます。

そこで今度は、合法的に社会を改革していこうとする者が現れます。

それが、イギリスからはR《ロバート》．オーウェン、フランスからはS《サン》．シモン伯爵、C《シャルル》．フーリエたちです。

――これほど社会が紊乱《びんらん》しているのは、資本主義という社会システムが持つ「私有」という観念が間違っているからだ。

私有を否定した社会主義というシステムを導入させれば、社会は〝地上の楽園〟となるに違いない！

しかし、彼らは「具体的にどうすれば社会主義が実現できるのか？」という方策を答えることができなかったため、K《カール》．マルクスやF《フリードリヒ》．エンゲルスらに「空想的《ユートピアン》」と批判されます。

マルクスらは、その方策を研究し、自らを「科学的《サイエンティフィック》」と位置づけ、こう主張しました。

――社会主義実現のための方策はただひとつ、革命に拠るしかない！

彼のこの思想（マルキシズム）が、のち20世紀になってソビエト連邦を生み、米英の仇敵となってイギリスを苦しめることになりますが、じつはそれはイギリスの〝膿〟の中から生まれた、とも言えるものでした。

■歴史原則33■
のちの崩壊の原因は、絶頂の只中で生まれる。

血塗られた繁栄

ところで、産業革命を興すには莫大な原資がかかりますが、これは奴隷貿易によってまかなわれたことはすでに触れました（206ページ）。

しかし、1790年代に入ると、いよいよ以て産業革命は本格化し、資本はどれほどあっても足らなくなったにもかかわらず、当時のイギリスは銀が中国（清朝）に垂れ流しの状態となっており、懸念材料となっていました。

それは、このころの対清貿易が原因です。

当時、イギリスが清朝から買い付けたい貿易品は、茶を筆頭として、絹織物・陶磁器などいくらでもありましたが(*15)、イギリスの主力輸出品の綿織物は清朝で自国生産できたためさっぱり売れず、片貿易となっていたためです。

イギリスは、マカートニー（1793年）、アーマースト（1816年）、ネイピア（1834年）らを清朝に送り込んで貿易の改善を求めましたが、受け容れられなかったためここで一計を案じます。

中国で売れない綿織物をインドに持ち込み、インドでは阿片（麻薬）を製造させてこれを対価として受け取り、これを清朝に密輸して、正規の貿易で出た赤字を回収しようというものです。

つまり。

大西洋三角貿易によって黒人奴隷の屍を築き上げてはじめられた産業革命は、今度はインド洋三角貿易によって中国人の犠牲（麻薬中毒《ジャンキー》）によって維持されたのです。

産業革命はイギリス社会に「生活革命」をもたらし、きらびやかな服や文化、建築物に彩られて一見華やかですが、その繁栄はまさに「異民族の屍」の上に成り立っていた〝血塗られた〟ものでした。

産業革命の輸出

ところで、産業革命を興したイギリスはただちに「機械の輸出と技術者の海外渡航を禁止」（1774年）しています。

これは産業革命の成果をイギリスだけが独占し、他のヨーロッパ諸国が追従するのを抑えるためでしたが、やがてイギリスの産業革命も完成期（１８３０年代）を迎えると、状況は一変。

機械の国内受注が落ち着いてくるため、機械の生産力が需要を上回るようになり、機械生産に携わる資本家が海外への輸出を要望するようになります。

また、機械輸出禁止令をつづけることで、むしろ外国で新発明・独自開発が起こって、イギリス産業革命の成果を一気に追い抜いてしまうかもしれません。[*16]

それなら、こちらから旧式の機械を輸出することで、ライバル国の生産力と技術力を管理・抑制することができ、むしろ都合がよい。

そこで、段階的にこの禁止令を解禁（１８２５／43年）したことで、１８３０年代から、ベルギー・フランス・ドイツ・ロシア、そして大西洋の向こうのアメリカへと産業革命が広がっていくことになりました。

こうしてイギリスは、１８５０年代以降「Pax Britannica」と呼ばれる絶頂期に入り、

（＊15）　一方的な赤字となっている貿易のこと。
（＊16）　この懸念はのちに現実のものとなります。

すべてはイギリスの掌のうちにあり、イギリスが世界を統制《コントロール》下において、何もかもがうまくいっているかに思えました。

しかし。

ここでも歴史法則が働きます。

――次世代の光は辺境より現れる。(*17)

イギリスから見て少し離れた東西に次なる光が輝きはじめたのです。

それが、アメリカとドイツより始まった「第二次産業革命」です。

アメリカとドイツは、1840〜50年代になってようやく「第一次産業革命」に入ったかと思ったら、まだそれが根づかぬうちにすぐに「第二次産業革命」へと脱皮することに成功しました。

なぜか。

じつは、米《アメリカ》・独《ドイツ》が産業革命段階に入り始めた1840〜50年代というのは、ちょうどイギリスの産業革命が落ち着いてきたころです。

それは、べつの視点から見れば、「その限界が見えてきた」「その延長線上にこれ以上の画期的な技術革新が期待できない」ということも意味し、これからイギリスのあとを追おうとする米独にとって、これはあまり魅力的とは言えません。

そこで、産業革命をはじめる一方で、さらなる革新技術の模索が始まったのです。

第二次産業革命

第一次産業革命は、「重い石炭」をエネルギー源として、「重い鉄」でできた「低出力の蒸気機関」を基盤とした技術革新でした。

したがって、必然的にその利用範囲も限られてきます。

蒸気機関では出力が低すぎて、産業機械ならば、比較的軽い繊維機械を動かすのが精一杯でしたし、乗り物であれば、車に蒸気機関を載せただけでは進みませんでしたから、鉄のレールを敷いて摩擦を極限まで減らして走る（機関車）のが精一杯でした。

ところで「燃える水（石油）」の存在は古くから知られていましたが、たいていの油田は何千mも地下深くにあって、これを採掘し、安定供給させることが極めて困難だったため、永く普及することはありませんでした。

ところが、産業革命が契機になって、油田の機械掘りが可能になったことで、つぎつぎと油田が発見され、石油の安定供給が可能になってきます。

（＊17）「歴史法則24」

こうなれば、「重くてエネルギー量の低い石炭」より「軽くてエネルギー量の高い石油」を燃料として使用するようになりますし、何より石油なら、石炭では不可能な「内燃機関」の製作も可能になります。

蒸気機関は、いったん水を沸騰させて、その蒸気の膨張力をエネルギーに変換するものであるため、エネルギー効率の悪いものですが、内燃機関は「水」を間に挟むことなく、石油の燃焼エネルギーを直接的に運動エネルギーに変換できるため、極めてエネルギー効率が高くなります。

これにより、利用範囲も大幅に広がり、乗り物であれば、車に内燃機関を載せるだけで、レールなど敷いていない悪路であろうがグイグイ走るようになります。

これが「自動車」です。

そして、それに羽とプロペラを付ければ空も飛ぶようになります。

飛行機などは、第一次産業革命の延長線上には存在し得ません。

重くてエネルギー効率の悪い石炭をエネルギー源として、重くて出力の低い蒸気機関では、たとえ羽を付けても飛べないからです。

さらに、これに発電機[*18]を取りつければ、電気を起こすことができます。

石油と電気が合わされば、化学工業が発達し、これまでの軽工業（繊維・雑貨など）を中心とした産業構造から、重化学工業（機械・金属・化学）を中心としたものへ代わり、石油を原料としたアスファルト、プラスティックやナイロンなどの合成樹脂が生まれていきます。

帝国主義という「侵略正当化」

こうなると、ガソリンなどの各種燃料や化学製品を作るのに石油や銅・錫《すず》・亜鉛・ニッケル等の金属が欠かせないものとなり、また車のタイヤを作るのにゴムが必需品となります。

しかし、こうした天然資源は欧米では自給できないものが多く、その安定供給のため、資本家《ブルジョワ》たちはこれらを豊富に産出するＡＡ圏（アジア・アフリカ文化圏）を植民地にするべく、政府に圧力をかけるようになります。

こうして、天然資源の豊富な地域、購買力のある地域、またそれを維持するために重要な軍事拠点や経済拠点などを植民地にするために、これを正当化するイデオロギー「帝国《インペリ》

（＊18）　１８３１年ファラデーが「電磁誘導の法則」を発見したことで、翌年にはこの原理を利用したモーター（発電機）が発明されていました。

主義《アリズム》」(＊19)が生まれました。

――有色人種《カラード》どもは、知性も道徳も向上心もなく、民主主義も知らぬ劣等民族である。

よって、我々が彼らを文明に導いてやらねばならぬ！

こうして、世界的な規模で問答無用の侵略が公然と行われるとなれば、それを支えるため、圧倒的軍事力が必要となり、必然的に産業革命は戦艦・大砲・武器・弾薬の大量生産を支える重工業へ力点が置かれるようになります。

そして、彼らに目をつけられたその地域こそが、有史以来18世紀に至るまで、燦然と輝きつづけてきた中国、インド、中東世界でした。

19世紀、その圧倒的軍事力を以て、欧米列強がアジアを蹂躙《じゅうりん》し、隷属させ、その国富を吸い尽くしたのみならず、「劣等民族」と蔑み、罵り、民族の誇りを剝ぎ取り、文明を踏みにじりつづけましたが、この悲劇の元をたどれば、じつはこの産業革命に行きつくのです。

イギリス最初の躓《つまず》き

ところで、これまで見てまいりましたように世界で最初に産業革命を興したのはイギリスです。

それがようやくヨーロッパに拡がりはじめたのは、それから半世紀以上も経ってからでした。

つまり、イギリスは断トツの独走状態だったはずです。にもかかわらず、世界で初めて「第二次」産業革命を興したのは、もっとも産業革命から立ち後れていたアメリカとドイツです。

なぜでしょうか。

じつは、「立ち後れていたからこそ」です。

アメリカ・ドイツは産業革命に入ったばかりで、まだまったく「第一次」の産業構造が社会に根を張っていませんでした。

だからこそ、容易に「第二次」へと勇躍できたのです。

これに対してイギリスは、「第一次」産業革命に永い歴史を持っていたからこそ、その産業構造が政治・経済・社会の隅々にまで根を張ってしまい、そのため逆に、新しいシステムへと移行することが困難となってしまっていたのでした。

（＊19）　イデオロギーの「帝国主義」と国体の「帝国」は関係ありません。
この時代、王国であろうが共和国であろうが、帝国主義を推進しています。

——メリットの裏にはデメリットあり。[*20]
——のちの崩壊の原因は、絶頂の只中で生まれる。[*21]

したがって、第二次産業革命を興したアメリカ・ドイツの経済力を前にして、イギリスは恐慌を起こし（1874年）、これを以て狭義の「Pax Britannica」は終焉を迎えました。

これ以降のイギリス史は、現在に至るまで第一次産業革命で勝ち取った利権を死守することに全力を注ぐ歴史を歩むことになります。

ドイツの抬頭

第二次産業革命を興して勢いに乗るドイツを牽引していたのは、初代帝国宰相《ライヒスカンツラー》のO.《オットー》ビスマルクでした。

しかし、彼の基本政策は、敵国フランスを孤立化させることに全力が注がれ、植民地獲得競争には消極的だったため、その20年間（1871～90年）はヨーロッパにはほとんど戦禍がない時代（ビスマルク時代）となります。

強力な潜在能力を持つドイツが、対外戦争に消極的だったことは、すでにPax Britannicaも傾いていたイギリスにとっては僥倖《ぎょうこう》でしたが、やがてドイツ帝国《ライヒ》第3代皇《カイ》帝《ゼル》ヴィルヘルム２世が、ビスマルクを失脚に追い込んで親政を開始するや、状況は一変します。

――なぜ偉大なる我がドイツ帝国が英仏の顔色を窺わねばならぬ！

彼は、矢継ぎ早に「艦隊法」(＊22)を発布し、大々的に最新鋭戦艦の建造をはじめ、帝国海軍をアッという間にイギリスに次ぐ世界第二位へと押し上げていきます。

これは明らかに「七つの海(＊23)を支配するイギリス」に対する挑戦です。

こうして圧倒的軍事力を背景にしてどこの国とも同盟を結ばないことを誇りとして「光栄ある孤立」を謳っていたイギリスも、背に腹は替えられず、ついに同盟国を求めるようになりました。


（＊20）「歴史原則32」利点と欠点はつねに表裏一体。

（＊21）「歴史原則33」

（＊22）建艦法とも。４度にわたり出され、第一次が１８９８年、第二次が１９００年、第三次が１９０８年、第四次が１９１２年。

（＊23）この「七つの海」のことをよく「北極海・北太平洋・南太平洋・インド洋・北大西洋・南大西洋・南極海」と説明してあるものがありますが、あれは「後付け」であって、本来的にこの「７」には数字的な意味はなく「すべての」というくらいの意味です。

1902年の日英同盟を皮切りとして、1904年には英仏協商、1907年には英露協商と、つぎつぎと自陣営の確立に力を注ぎます。

ソ連・日本の抬頭

ところでこうしたヨーロッパ事情で生まれた日英同盟は、日本にとっても僥倖《ぎょうこう》でした。当時の日本は帝政ロシアに睨まれ、国家存亡の危機にありましたが、さりとてまともに戦って勝てる相手ではなく、もはや「戦って亡びるか」はたまた「座して亡びるか」という究極の二者択一《オルターナティブ》を迫られ、政府も主戦論と避戦論に二分して混乱していました。

そんな情勢で締結されたのが日英同盟だったのです。

日本はこれに背中を押される形で、政府もついに主戦論に傾き、帝政ロシアとの決戦を決意するきっかけとなりました。

そしてついに1904年、それが日露戦争となって具現化します。

距離的に見れば、この戦争はイギリスにとって〝地球の裏側〟で起こった〝遠い戦争〟だったかもしれませんが、これ以上のロシアの膨張主義を看過することはできぬと、イギリスは積極的に日本を支援。

しかし、これがのちにイギリス没落の原因となっていきます。

ひとつには、日露戦争において陸に海に連戦連勝を果たした日本が、これを契機としてアジアに勇躍し、やがて第二次世界大戦においてイギリス軍をあちこちで駆逐していくことになること。

もうひとつには、敗れたロマノフ朝は、この戦争で被《こうむ》った痛手をついに回復させることができぬまま、悶絶の12年を過ごしたのち、ロシア革命を誘引させ、これにより滅亡することになりましたが、こうして生まれた「ソビエト連邦」こそが、以後、イギリスの前に立ちはだかる〝永遠の敵〟となって育ってしまったことです。

――のちの崩壊の原因は、絶頂の只中で生まれる。(＊24)

このころはまだ、表面的には繁栄を誇っていたイギリスでしたが、すでにのちの没落の原因は生まれていたのでした。

（＊24）「歴史原則33」

［イギリスの躓き］

・第一次産業革命で独走態勢を築きながら、しかしそれがゆえに第二次産業革命への脱皮が遅れた。

・それがドイツの抬頭を許し、日本・ソ連の抬頭を許し、のちの没落の原因となっていった。

史上初の総力戦

さて。

こうして、イギリスがドイツの抬頭を許したことで、ヨーロッパにイギリス陣営（三国協商）とドイツ陣営（三国同盟）の対立を生み、それがやがて1914年のサライェヴォ事件を契機として、人類史上初の「総力戦(＊25)」である第一次世界大戦(＊26)へと繋がっていきます。

第一次世界大戦が始まったとき、当時まだ記憶に新しかった普墺戦争（1866年）や普仏戦争（1870年）など、19世紀後半に行われた局地戦のひとつとして捉えられ、「こたびの戦争も半年もしないうちに終わるだろう」というのが大方の予想でした。

ドイツ皇帝ヴィルヘルム２世もこう兵士を鼓舞しています。

――クリスマスは恋人とともに戦勝を祝うがよい！

しかし、実際には「世界大戦」となって４年半もの永きにわたって戦い、ヨーロッパ世界全体を荒廃させ、その世界支配を動揺させる大きな契機となりました。

彼らは「19世紀までの戦争」と「20世紀以降の戦争」ではガラリと変わってしまったことに、この時点で気がついていなかったのです。

いえ。

たったひとり、慧眼《けいがん》W.《ウィンストン》チャーチルだけは気がついていました。

――民主主義は大臣よりも執念深い。

「国民の戦争」は「国王の戦争」より恐ろしいものとなるだろう。

（＊25）人類の戦争形態は19世紀以降大きく変貌を遂げることになります。18世紀までの戦争はほとんどその本質が変わりませんが、19世紀は総力戦の条件が整っていく過渡期の時代となり、20世紀前半は総力戦、20世紀後半は冷戦、そして21世紀はテロの時代と変化していきます。

（＊26）経済力・軍事力・技術力・政治力、そして全国民の生命財産など、国家の保有するすべての国力を総動員して、最後の最後まで戦う戦争のこと。19世紀までは、そのような戦争は存在しませんでした。

敗戦国は荒廃するのは当然、戦勝国ですら致命的な混乱と疲弊をもたらすだろう。

チャーチルがこの発言をしたのは、第一次世界大戦が勃発する13年も前のこと。彼はこの時点ですでに、つぎに起こる戦争が人類初の「総力戦」となることを看破していたのでした。

戦争形態の推移

18世紀までの戦争は、いわば「国王（貴族）の戦争」というべきもので、兵士は農業に携わる者が多く（半士半農）、たいていは農閑期に戦うのが主で、長引いたとしても農繁期が近づくと兵士が浮き足立ってしまうため、自然と終戦に向かいます。

また、軍需物資は戦前の備蓄のみで戦うのが普通で、備蓄を消耗しきってしまえば、戦費が維持できないため、やはり自然と終戦に向かいます。

つまり、18世紀までの戦争形態では、終戦に向かう条件がいろいろと揃っているため長期化しにくく、また、戦っているのは国民ではなく貴族（職業軍人）であり、戦争の勝敗に伴う受益者・与益者もまた王侯で、国民は戦争に勝とうが負けようがあまり関係なかったため、戦争の勝敗にも比較的無関心です。

貴族（職業軍人）同士が戦い、その軍事的優劣を競い、敗れれば白旗を振るため、国家の産業と経済は戦争の勝敗にあまり重要ではなく、したがって命令一下で軍人を動員できる君主制の方が有利でした。

ところが、19世紀から徐々にその条件が崩れる要素が生まれてきます。

そのきっかけは、18世紀の末にフランスで勃発したフランス革命（1789～99年）でした。

革命の混乱の中で王政は打倒され、貴族は没落してしまったため、従来型の「国王（貴族）の戦争」は不可能となり、国を守るための戦争を遂行できるのは「国民」しかいません。

そこで否応なく「国民軍」が創設されることになりましたが、何と言っても初めての「国民軍」、何かと勝手が分からず、まだ18世紀の段階においては軍の運営上さまざまな問題が噴出して連戦連敗します。

しかし、徐々にその運営に馴れてくると、じわじわと国民軍が優勢となりはじめ、〝革命の子〟ナポレオンが現れるに至って、彼はこの「国民軍」を手足のごとく自在に操り、全欧を制圧するほどの圧倒的力を示します(＊27)。

事ここに至って、従来からの「常備軍」ではまったく太刀打ちできないことが明らかとなります。

――常備軍では国民軍にどうしても勝てない！
もはや常備軍が時代遅れであることは明らか！
我々も国民軍を創設せねば!!

こうして、ナポレオンが「国民軍」の優位性を示したことで、フランス以外の各国も「国民軍の創設」が急務(*28)となり、これが19世紀をかけて出揃うことになります。

国民の戦争

こうして20世紀に入ると、「国民軍 vs 国民軍」の戦いが始まります。

これは従来の「国王（貴族）の戦争」と対比して、「国民（正義）の戦争」と呼ばれ、兵士は半士半農の軍人ではなく、平時には〝パン屋の親父〟や〝靴屋の亭主〟といったごくふつうの一般市民が武器を取って戦うため、農閑期・農繁期の区別なく戦いつづけることが可能となり、彼らは「国王のため」でも「貴族のため」でもなく、「自分の生活や財産や家族を護るため、民主主義を護るため、〝正義〟のため」に戦う兵士となります。

しかし、「国民の生活・財産・家族」そして「正義」を背負わせてしまったことで、この戦いに敗れることはそのすべてを失うことを意味するため、これまでの「国王の戦争」のように「どちらも深手を負わないように、適当なところで手打ちとする」ということができなくなります。

必然的に、男は前線で銃火の中を戦い、女は軍需工場で武器弾薬を生産して銃後を支え、国力・経済力のすべてを戦争に注ぎ込んで、最後の最後まで戦いつづけなければならなくなります。

これを「総力戦」といい、そうなると戦争の勝敗は、従来のような「軍隊の質量」によって決せられるのではなく、「先に音をあげた方の負け」なのですから産業構造や経済力に拠るところが大きくなります。

これは、民主制に有利で、君主制に不利です。

なんとなれば、国民に日常の平和な生活を擲《なげう》ち、命を賭けて戦わせ、辛く苦しい戦時下の生活を我慢させて戦いつづけさせるためには、それに値するだけの〝大義名分〟を国民に与えてやらなければなりませんが、民主主義はそうした〝大義名分〟を捏造《ねつぞう》しやすい

（＊27）つまり、ナポレオンが全欧を制圧することができた理由は、彼の軍事的才能もさることながら、他の国がまだ絶対主義時代さながらの古い軍隊（常備軍）だったのに、フランスだけが「国民軍」という新時代の軍を保有していた、という優位性が大きい。

（＊28）あの有名な、プロイセンの「シュタイン・ハルデンベルク改革」も国民軍創設を主目的とした改革です。

からです。

「国民主権を護るため！　民主主義を護るため！

それがひいてはお前たちの生活と権利を護ることになり、正義を貫徹させることになるのだ！」

無知蒙昧《もうまい》な国民は、これでホイホイと騙されてくれますが、君主制国家はこうはいきません。

戦争受益者はいまだ王侯で、国民主権もなく、民主主義もないためです。

20世紀に入ったのを境に、君主制国家がつぎつぎと倒れていったのはこのためです(*29)。

ソ連の誕生

こうして、大戦直前までヨーロッパに残っていた「帝国《エンパイア》」はすでにたった3つとなっていました。

その「3つ」とは、ホーエンツォレルン朝ドイツ第二帝国とハプスブルク朝オーストリア＝ハンガリー二重帝国とロマノフ朝ロシア帝国でしたが、その3つが3つとも、この大戦中の混乱の中で革命の露と消えてゆくことになります。

ドイツは、ドイツ革命によってドイツ共和国に。

オーストリアは、オーストリア革命によってオーストリア共和国に。

ロシアは、ロシア革命（二月革命）によってロシア共和国に。

さらに、ロシアだけはもう一段階（十月革命）踏んで、社会主義共和国になります。

それは、イギリスから始まった産業革命から派生した「社会主義《マルキシズム》」が生んだ史上初の社会主義国家で、これから70年間、米英にとって目の上のタンコブとなりつづけます。

兵《つわもの》どもが夢の跡

かくして、第一次世界大戦は「総力戦」となり、両陣営ともに死力を尽くして戦った結果、敗戦国はもちろん戦勝国も疲弊しきってしまいます。

まさにW.《ウィンストン》チャーチルの予言どおり。

19世紀までの戦争は、戦勝国が敗戦国の領土や利権を奪い、さらに賠償金を請求して戦争による損害や戦費を賄《まかな》い、さらにはつぎの投資に回すことでさらなる発展を図ってき

（＊29）したがって、その理由としてよく喧伝されているように「君主制が劣った政体だから」ではありません。国民を煽動する理由を用意できさえすれば、君主制でも独裁国家でも問題なく機能します。たとえばナチスドイツも国民を煽動することに成功できたからこそ、独裁国家でも存続できたのです。

ました。

戦争は「ゼニ儲けの一環」だったのです。

しかしそれは、適当なところで手打ちとし、庶民を巻き込まない「国王の戦争」という前提条件があったからこそ成り立つもの。

国民を総動員して、お互いに国力のすべてを消耗しきるまで戦いつづける「国民の戦争」では、敗戦国から賠償金を取ろうにも、取れる状態ではありません。

こうして産業革命以降、その経済力と軍事力を背景にして世界を席巻したイギリスを筆頭としたヨーロッパ世界は、たちまちＡＡ圏（アジア・アフリカ文化圏）を食い尽くすや、今度は仲間内で「共食い」をはじめ、「自滅」という形を辿って衰亡の道を歩みはじめます。

その筆頭をひた走ってきたイギリスに至っては産業革命以来の債権国（黒字）が、ついに債務国（赤字）に転落、現在に至るまで二度と債権国に回復することはありません。

ここに「Pax Britannica」は終焉を迎えます。(*30)

戦闘民族ヨーロッパ人

もともとヨーロッパ人というのは遊牧系狩猟民族で、貧しく厳しい自然環境の中で何千年にもわたって生き抜いてきた民族です。

そんな彼らにとって「戦って勝つことだけが正義」であり、「糧」とは自ら額に汗して得るものではなく、異民族から掠奪《りゃくだつ》するもので、敗者には死か奴隷の道しか与えません。

他の民族に比べても異常に尚武精神の強い、まさにサイヤ人(＊31)さながらの〝戦闘民族〟です。

そんな彼らが「産業革命」という武器を得たことで、その侵掠《しんりゃく》の規模を全世界に広げることが可能となり、実際にそれをやってのけたのが「帝国主義時代」です。

しかし、掠奪する対象（ＡＡ圏）が膨大に広がっている間はよかったのですが、それを食い尽くしたとき、今度は仲間内で共食いが起こることを、彼ら自身、止めることができませんでした。

そうした性質の民族だからです。


（＊30）「Pax Britannica」は、19世紀半ばごろから１８７０年代半ばまで（狭義）と第一次世界大戦まで（広義）の大きく2つの考え方があります。

（＊31）鳥山明《とりやまあきら》原作の『ドラゴンボール』の中に出てくる宇宙人で、環境のよい星々に侵掠し、その星の住民を絶滅させ、これを他の宇宙人に売り渡すことを生業としていた戦闘民族。

つまり、彼らは戦闘民族ゆえに全世界を席巻することができたのですが、戦闘民族ゆえに自滅していく道を避けることができなかったのです。(*32)

〔イギリス（&ヨーロッパ）没落の原因①〕
戦闘民族としての資質が彼らの発展を支え、戦闘民族としての資質が自らを亡ぼすことになった。

西洋の没落

しかし、もっと不幸だったのは、「西洋の没落」がすでに始まっていることを、彼ら自身がまったく理解できていなかったことでした。

戦争が終わった年（1918年）に、慧眼O.《オスヴアルト》シュペングラーが『西洋の没落』を発表し、(*33)「すでにヨーロッパの没落は始まっている！」と警鐘を鳴らしました。

これは「ヨーロッパの繁栄と世界支配は永遠につづく」と信じて疑っていなかったヨーロッパ世界に衝撃を以て迎えられます。

――確かにこんな〝共食い〟戦争をもう一度やらかしたら、

ヨーロッパは二度と復興できなくなるかもしれない！

戦争で荒廃したヨーロッパを目の前にして、当時のヨーロッパ人には現実性と真実味が感じられ、こうした危機感が広がり、戦後のヨーロッパには厭戦感《えんせんムード》が漂います。

しかし、こうしたシュペングラーの警鐘も、時の為政者たちにはまったく理解できなかったようで、「19世紀式の政治理念」のまま、この危機を乗り切ろうとします。

彼らが、まだ自分が「新時代」に立たされていることにまったく気がついていなかったことが、さらなる不幸を呼び込むことになります。

憎しみだけが残った戦後処理

戦後処理を話し合うため、パリ講和会議が開催されましたが、そこでは敗戦国ドイツに対して莫大な賠償金の請求が行われることになります。(＊34)

その額たるや、１３２０億金マルクという天文学的数字。

(＊32)「歴史法則16」その国の成立・発展の礎となったものが、その国の衰退・滅亡の原因となっていく。

(＊33) 第2巻の発表は１９２２年になってから。

(＊34) 正式な金額（１３２０億金マルク）の設定は１９２１年のロンドン会議において。

そもそも「賠償金」というのは、19世紀までの「国王の戦争」をやっていたころの習慣で、お互いに致命傷を負わない程度の適当なところで戦争を終わらせるから、敗戦国も賠償金を支払えたのです。

こたびの大戦は「総力戦」でしたから、敗戦国は国民が食べていくことすら困難となっており、このうえ賠償金の支払い能力などあろうはずもなく。

そんなことは誰の目にも明らかであったにもかかわらず、戦勝国（特にフランス）は「敗戦国が戦争賠償を賄うのは当然！」という〝19世紀式論理〟を振りかざし、そのうえ自分たちが被《こうむ》った被害に基づいて天文学的金額を請求したのですから、もうメチャクチャです。

あまりに理不尽な処置は、ただ憎しみを増幅させるだけで、事態を悪化させることはあっても改善させることはありません。

そんなことは、国家に限らず、日常生活においても常識的なことですが、このときのヨーロッパ人は、こんな簡単な理窟も理解できなくなっていたのですから、もはや「西洋の没落」も必然だったといえるでしょう。

［イギリス（&ヨーロッパ）没落の原因②］
すでに時代が変わったことに気がつかず、古い時代の価値観を振りかざし、まだ大戦の傷も癒えぬうちにすぐに新たな敵（ナチスドイツ）を育てるという墓穴を掘った。

第二次世界大戦後の植民地政策

やがて、こうした英仏の横暴に対する憎しみが、ひとりの人物に結集していきます。

それが、A.《アドルフ》ヒトラーです。

戦後、連合国側の喧伝《プロパガンダ》によって、第二次世界大戦の責任をヒトラー個人に押し付け、彼は「20世紀の怪物」と呼ばれたりすることもありますが、そもそも彼を産み、育《はぐく》んだのは他でもないイギリス・フランスだということを忘れてはなりません。

やがて2度目の〝ヨーロッパ共食い戦〟第二次世界大戦が勃発すると、第一次世界大戦など比較にならない戦禍を招くことになり、イギリスを筆頭とする西欧の没落は決定的となります。

第二次世界大戦後、いよいよ没落が決定的になったヨーロッパは、いよいよ以て植民地に寄生し、その富を食い尽くすことで生き残りを図ります。

しかし、もはや時代は「武力が無制限にモノを言う時代」ではなくなっていました。

第二次世界大戦が終わって10年ほどが経ったころ、ついこの間までイギリスの植民地であったエジプトと英仏との関係が急速に冷え込んでいったことがあります。

エジプトは永らくイギリスの植民地（１８８２〜１９２２年）でしたが、第一次世界大戦後、国力の衰えを隠しきれないイギリスは、独立運動の激しくなったエジプトを力ずくで抑えることが困難となります。

そこで、これを懐柔するため「形式独立」を認めることで親英王朝（１９２２〜53年）[*35]としてなんとかつなぎ止めていました。

しかしその親英王朝も、１９５２年にエジプト革命が起こって、翌53年に滅亡。

親英王朝を倒した新共和国政府とイギリスとの関係は必然的に冷え込んでいくことになったのです。

英仏の誤算

そんな折、エジプト共和国政府（ナセル大統領）の放った宣言に、世界は激震します。

――スエズ運河を国有化する！

1869年、スエズ運河が開通したとき、その持ち株はフランスが52％、エジプトが44％でした(＊36)が、その後、75年にエジプトは持ち株をイギリスに売却してしまっていたため、この当時のスエズ運河の所有者はイギリスとフランスでした。

それを「紙切れ1枚の宣言書」で取り上げるというのですから、英仏が黙っているわけがありません。

――認めん！

エジプトごときが図に乗りおって！

我が軍事力で一気にねじ伏せてくれる！

こうして始まったのが「スエズ戦争（第二次中東戦争）」です。

もしこの戦争が起こったのが19世紀であれば、エジプトは問答無用でねじ伏せられていたはずですし、またナセル大統領もそもそもこんな挑発自体しなかったでしょう。

（＊35）アリー朝エジプト王国。自立したのは1805年、世襲制が国際承認を受けたのが1840年、独立宣言をしたのが1922年で、そのいつを以て「成立」と見做すかは意見の分かれるところ。

（＊36）ただしフランスは多くの一般投資家が購入したものであるのに対し、エジプトは政府が独占的に購入しているため、筆頭株主はあくまでエジプト。

しかしもはや「時代」がそれを許さなくなっていたことに、事ここに至っても気づいていなかったイギリス・フランス。

1956年、スエズ戦争が勃発するや否や、イギリス・フランス連合軍がエジプト軍を前にして連戦連勝！

しかしナセル大統領には勝算がありました。

イギリスの仇敵・ソ連に泣きついたのです。

当時、ソ連首相だったブルガーニンは宣言します。

――こたびのスエズ問題について、英仏がただちに兵を退かないならば、我がソヴィエトは核ミサイルのボタンを押すことになるだろう！

すると、これにアメリカもただちに応戦します。

――もしそのようなことになれば、我が合衆国もソヴィエトに向けて核ミサイルを発射することになるだろう！

すわ、「第一次世界核大戦」か⁉

世界に激震が走りました。

「スエズごときのために、世界が核の脅威に晒されてなるものか！」

国際世論が一斉に英仏に即時撤退を求め、これにより英仏は一夜にして〝世界の孤児〟

と化してしまいます。

こうしてイギリス・フランス連合軍は、前線では〝戦術的〟に連戦連勝していたにもかかわらず、ナセル大統領の〝戦略〟を前にして完敗、撤退を余儀なくされたのでした。(＊37)

「時代を読めていなかった英仏」と「時代を読んでいたナセル」。

ナセル大統領の方が政治家として一枚も二枚も上手であったと同時に、英仏は「19世紀の帝国主義的なやり方がもはや20世紀には通用しない」ということ、「もうすでに〝武力が無制限にモノを言う時代（帝国主義時代）〟ではない」ことを思い知らされたのでした。

ヨーロッパ共同体

彼らヨーロッパ人が、19世紀に世界に覇を唱えることができたのは、よく彼ら自身が主張するように「白人が〝優等民族〟だから」ではありません。

（＊37）　戦術とは「個別の戦いで勝つための技術」、戦略とは「戦い全体に勝利するための方策」。戦術で勝利しつづけても、戦略に敗れれば、戦争は負けです。この典型的例が、中国における「項羽《こう》と劉邦」の戦いで、項羽は目の前の一戦一戦では連戦連勝しつづけた（戦術の勝利）にもかかわらず、つねに戦争の全体を見通していた劉邦の戦略に敗れ、垓下《がいか》に散っています。

単に、彼らの〝民族的特性〟がたまたま「時代の特質」とぴったり符合したからにすぎません。

すでに述べてまいりましたように、彼らは「戦って勝つこと、奪うこと、殺すことに価値観の重きを置く戦闘民族」（235ページ）。

その彼らが産業革命を興したことで、他を圧倒する経済力と軍事力をまとったそのタイミングで「武力だけが無制限にモノを言う時代（帝国主義時代）」が到来したことで、彼らの能力が最大限発揮できたためです。

しかしその事実は同時に、時代が移り変わって、世の中が「武力が無制限にモノを言う時代」でなくなったとき、ヨーロッパはふたたび〝地球の辺境〟へと還っていかざるを得ない宿命にある、ということを意味します。

20世紀に入ると「世論」がじわじわと力を持ちはじめ、それはまもなく「武力」をはるかに凌駕《りょうが》するものとなり、もはや「世論を味方に付けなければ戦争に勝てない」という時代が到来したとき、ヨーロッパは衰勢の一途を辿っていきます。

ヨーロッパがようやくそれを悟ったのが「スエズ戦争」であり、これを契機として、ヨーロッパは統合の道へと進んでいくことになります。

すでに、1952年に石炭と鉄鋼生産を加盟国間で均霑《きんてん》することを目的とした「ECS

Ｃ（ヨーロッパ石炭鉄鋼共同体）」があったので、スエズ戦争の翌年、これを基盤としてＥＥＣ（ヨーロッパ経済共同体）、ＥＵＲＡＴＯＭ（ヨーロッパ原子力共同体）を結成してその範囲を広げ、67年にはさらにこれらの共同体を統合してＥＣ（ヨーロッパ共同体）（＊38）となります。

これは、弱い小魚が群れることでその身を護るように、ヨーロッパ諸国もその身を寄せ合うことで時代の荒波を乗り越えようという主旨で、ほんのすこし前まで支配者《マスター》として世界に君臨していた彼らが、そんなことをしなければ自分の身ひとつ護れなくなったのかと思うと、時代の趨勢に空恐ろしさすら感じます。

ヨーロッパ連合

ところで、ここまでのヨーロッパ統合はフランスを中心に進んでいました。

イギリスはＥＣへの加盟要請を何度も伝えましたが、そのたびにフランス（ド・ゴール

（＊38）英語表記では「European Communities（複数形）」ですが、のちにＥＥＣが改名されたものが「European Community（単数形）」で、日本語表記ではどちらも「ヨーロッパ共同体」です。そこでこれを区別するため、前者を「ヨーロッパ諸共同体」と訳す場合があります。

大統領）に拒絶され、孤立化していました。

しかし、そのド・ゴールも退陣すると、ようやく73年、アイルランド・デンマークとともにイギリスの加盟が認められ、これを皮切りとして、81年にギリシア、86年にスペイン・ポルトガルと加盟国を増やしていきます。

そしてついに93年、マーストリヒト条約の発効により、ＥＵ（ヨーロッパ連合）が発足。これも、ＥＣが消滅して、ＥＵが取って代わったわけではなく、経済的共有を中心としたＥＣ（第一の柱）に、外交（第二の柱）と司法・内政（第三の柱）をも共有させようというもので、このときはまだＥＣは存続しています。

そこからふたたび加盟国をぞくぞくと増やしていきます。

１９９５年　オーストリア・スウェーデン・フィンランドが加盟。
１９９９年　統一通貨ユーロ発足。
２００４年　エストニア・ラトヴィア・リトアニア・ポーランド・チェコ・スロヴァキア・ハンガリー・スロヴェニア・キプロス・マルタが加盟。
２００７年　ブルガリア・ルーマニアが加盟。
２００９年　リスボン条約でＥＵが改組され、ついにＥＣを解消するとともに、第一の柱と第三の柱が統合される。

２０１３年　クロアティアが加盟。

イギリスとヨーロッパの未来

こうして、現在ではヨーロッパのほとんどの国が加盟する大きな組織となりましたが、ここまでしてようやくアメリカ・中国と肩を並べることができるほどヨーロッパの国々ひとつひとつの国力は弱まっており、ほんの１００年ほど前まで世界を席巻していたイギリス・フランス両国のＧＤＰ（国内総生産）を足してようやく、〝極東の貧乏島国〟と小バカにしていた日本に追いつくのがせいいっぱいという有様。

その零落《れいらく》ぶりには驚くばかりです。

そのうえ、ＥＵが結束し順調な運営であるならまだしも、現在、２０１０年のギリシア危機を契機としてタガが外れはじめ、２０１６年にはイギリスが脱退の意思表示をするなど、もはや崩壊寸前です。

ヨーロッパの未来に光明は見えません。

しかしながら。

人類史全体を俯瞰《ふかん》して見たとき、もともとヨーロッパは〝地球の辺境〟という地位こそが「常態」なのであって、そもそも18～19世紀の発展が「異常」であり、20世紀の衰退期を経て、21世紀は〝本来の姿〟へと戻っていく世紀となるでしょう。

現在ですら、全盛期から比べれば見る影もない衰亡ぶりですが、これからも衰亡しつづけ、22世紀には、人類史を語るうえでほとんど顧みられることのない、現在でいえばアフリカ大陸奥地の小国のような貧乏小国へと零落《おちぶ》れていくことでしょう。

しかし、それこそがヨーロッパの〝本来の姿〟なのです。

では、彼らが飛翔する時代はふたたびやってくるでしょうか。

もしそういうことがあるとすれば、それはふたたび世界に「第二次帝国主義時代」とも呼ぶべき〝無制限に武力がモノを言う時代〟が到来したときです。

彼らはそうした時代でなければ身動きできない民族性を有するためです。

しかし、今のところ、当分そうした時代がやってくることはなさそうですから、その日が来る遠い未来まで、彼らは〝地球の辺境〟で細々と生きていく民族となるでしょう。

［第5章］

アメリカ合衆国

──「覇権」はいつまで続くか

アメリカの覇権はいつまで続くか

我々現代人にとって、すでに物心ついたころから、いえそれどころか自分が生まれる前からずっと「アメリカ合衆国」が世界の頂点に君臨し、その後、成人したあとも、老いてのちも、アメリカがナンバーワンでありつづけてきました。

約半世紀近くにわたってアメリカと覇権を争ったソ連も1991年ついに滅亡し、人は物事をついつい「経験則」で考えてしまう習慣があるため、無意識・なんとなく・無検証にこういう想いが湧いてきます。

「だから、今後もずっとアメリカが世界の頂点に君臨しつづけるだろう」

しかし、真実は逆です。

「だからこそ、もはやアメリカに未来はない」

ここまで我々はさんざん見てきました。

世界に覇を唱えた国々の末路を。

どんなに〝我が世の春〟を謳歌しようとも、衰亡する日はかならずやってくる、という事実を。

というより、絶頂の最中《さなか》において衰亡の原因が生まれ、それは思いの外《ほか》はやく表面化し、しかもひとたび衰えはじめたが最後、崩壊はアッという間だということを。

ローマ帝国が絶頂のまっただ中にあったとき、すでに滅亡の原因が帝国を蝕んでおり、それが原因となってローマがまもなく滅亡し、この地球上から跡形もなく消え去るなど、誰が想像し得たでしょうか。

中華帝国も何度王朝交替しようが、中華帝国自体が地上から消え去るなど、その時代に生きた者は想像だにできなかったことでしょう。

しかし、何人《なんぴと》たりとも「盛者必衰の理《ことわり》」から逃れられる者はいません。

それでは最終章の本章では、前章までの「亡んでいった覇権国家」の歴史を思い起こしながら、「20世紀の覇者」であるアメリカ合衆国の歴史を辿っていくことにしましょう。

アメリカ大陸への植民

アメリカ合衆国は、もともと「イギリスの植民地」として生まれました。

大航海時代の幕開けとともに、まず最初にポルトガルが「アフリカ廻り航路」でアジアを目指すや、つぎにスペインが「大西洋西廻り航路」で、遅れてイギリス・フランスが「北西航路」でそれぞれアジアを目指します。

その結果、ポルトガルがブラジルを、スペインが中米を、イギリスが北米西海岸を、フランスがカナダを発見し、そこを拠点としてアメリカ大陸を植民地化していくことになりましたが、とりわけ至難を極めたのが、イギリスによる北米西海岸への植民でした。

初め、エリザベス1世の御世《みよ》にW.《ウオルター》ローリー卿の号令の下、ロアノーク島に植民が行われましたが、なぜか何度植民しても、つぎの補給部隊がやってきたときには人っ子ひとりいない無人の町になっているという不思議な現象(*01)がつづいたため、これは放棄されます。

つぎに、ジェームズ1世の御世に現在のジェームズタウンやプリマスに植民しますが、これも飢餓・内紛・疫病が襲い、何度となく全滅の危機に陥ります。

しかし、そんな彼らにいつも食糧を与え、農業の仕方を教え、介抱してくれたのがインディアンでした。

こうしたインディアンたちの全面的な援助のおかげで、一時の危機を乗り越え、ようやく植民者が根づきはじめると、彼らは〝命の恩人〟たるインディアンを殺戮し、掠奪しながら領地を広げていきます。

彼らはこう発言します。

――如何なる手段を以てしても、インディアンを絶滅させる正当な理由がある！

なんとなれば、やつらは野蛮で、残忍で、好戦的で、絶滅されるに値するほど罪深き民族だからである！(*02)

もし彼らのいうように、「野蛮で、残忍で、好戦的な民族が絶滅されるに値するほど罪深い」というのなら、犬ですら「3日飼ってもらった恩を一生忘れない」というのに、命を救ってもらったインディアンの恩を仇で返し、戦う意志のない彼らを問答無用で殺戮する彼らこそ、「野蛮で、残忍で、好戦的」ではないのか、と問い詰めたくなりますが、このような歴史の中から生まれたのが、東海岸の13植民地です。

彼らは、つねにまわりのインディアンを「蛮族」「相容れざる敵」として、植民者のひとりひとりが銃を持って敵対しながら生きてきたため、この〝幼児体験〟が現在のアメリカ人の資質となっていきます。

同じヨーロッパ人による植民でも、フランス人はインディアンを〝商売相手〟として比較的友好を保ちながら植民していましたし、スペイン人は侵略者として侵入しながらも、すぐにインディアンとの混血（メスティーソ）が進んでいき、時代が下るほど差別も緩和

（＊01）まっさきにインディアンの襲撃による全滅が疑われましたが、調査の結果、その痕跡はまったくなく、疫病の蔓延、自らの意志による移住などいろいろな説が唱えられましたが、どれも状況をうまく説明できるものがなく、なぜロアノーク島が無人化したのか、現在にいたるまで分かっていません。

（＊02）1622年のオペチャンカナウの蜂起に際して、イギリス入植者のスローガン。

していきましたが、イギリス人の場合は、混血すら許さず、彼らにあるのはただインディアンに対する「差別心」と「殺意」だけでした。(*03)

ちなみに、現在でも一般市民のひとりひとりに至るまで拳銃から突撃銃《アサルトライフル》まであらゆる銃火器の所持が認められているのは、世界広しといえどもアメリカ合衆国だけですが、それもこうした歴史背景に拠るところが大きいでしょう。

アメリカ独立戦争

ところで、この南北アメリカ大陸の中で、最初に独立した国こそが、このアメリカ合衆国です。

中南米においては、時の教皇アレクサンドル6世を仲介者として、スペイン・ポルトガル間でトルデシリャス条約（1494年）が結ばれ、あらかじめお互いの勢力範囲を設定しておいたため、大きな争いにはなりませんでしたが、北米では、イギリス・フランス間で熾烈な植民地獲得戦争が始まります。

イギリスにおいて名誉革命が終わったばかりの1689年から始まったウィリアム王戦争を皮切りに、アン女王戦争、ジョージ王戦争を戦い、そして最後のフレンチ＆インディアン戦争でようやくイギリス勝利のうちに決着が付きました。

その講和条約（1763年 パリ条約）において、北米のフランス植民地（＊04）は消滅し、イギリスは北米における覇権を握ることに成功したのです。

しかし、フランスを駆逐するという当初の目的は達成したとはいえ、その代償も大きく、イギリスは相次ぐ戦争で財政破綻を起こしていました。

時の英王ジョージ3世は考えます。

――アメリカ西海岸の植民地を護るためにかかった戦費だ！

この経費は彼らに賄《まかな》ってもらおう！

こうして、パリ条約が締結された翌1764年から、西海岸の植民地人に立てつづけに

（＊03）これは大袈裟に表現しているのではなく、歴代大統領の言葉にもはっきりと現れています。
初代大統領 G《ジョージ》.ワシントン「インディアンを絶滅させることは正義である！」
第7代大統領 A《アンドリュー》.ジャクソン「インディアンには知性も道徳も向上心もない。おのれの劣等性すら理解できない。やつらは亡ぼされなければならない！」
第26代大統領 T《セオドア》.ルーズヴェルト「インディアンの絶滅を支持する！」

（＊04）「ヌーヴェル・フランス」と呼ばれ、カナダ植民地（五大湖周辺・カナダ・ハドソン湾岸・アカディア・ニューファンドランド島）と、ルイジアナ植民地（西はロッキー山脈、東はアパラチア山脈に挟まれた地域）の2つの植民地で構成されていました。

重商主義的課税をかけるようになります。

1764年には「砂糖法」、翌65年には「印紙法」。

しかし、古来イギリス人は「議会の承認なく勝手に国王が課税すること」を違法としており(＊05)、これをあっさりと破る課税に植民地側は猛反発します。

P.《パトリック》ヘンリー「代表なくして課税なし！」
B.《ベンジャミン》フランクリン「結集せよ《JOIN》！　さもなくば《OR》死あるのみ《DIE》！」

こうしたスローガンを掲げて植民地人に結束を呼びかけ、不買運動を起こしてこれに抵抗します。

これが奏功して、翌66年「砂糖法」「印紙法」はともに撤廃されたものの、しかし植民地側にはその勝利に酔う遑《いとま》も与えられることなく、翌67年にイギリス本国は、紙・ペンキ・ガラス・鉛・茶などの生活必需品全般に課税する「タウンゼント諸法」を課してきました。

この不満がついに70年、ボストン市内で虐殺事件(＊06)を生み、植民地人とイギリス軍が一触即発、「独立戦争」に発展することを恐れたイギリス本国はただちに「タウンゼント諸法」を撤廃します。

しかし、本国政府はこれに懲りることなく、73年には「茶法」を発布。

これが契機となって、あの有名な「ボストン茶会事件」が勃発し、ここから急速に植民地人は「独立」へ指向していくことになります。

翌74年には、「第1回大陸会議」が開催され、独立について話し合われ、75年には、ついにレキシントンで交戦状態に突入、ここに「アメリカ独立戦争」が勃発します。

しかしこの戦闘は突発的に始まったものであったため、植民地側はあわてて「第2回大陸会議」を開催し、独立へと意思統一が確認され、翌76年7月4日、「独立宣言」が発せられました。

この日が、現在まで祝われる「独立記念日」となります。

連合規約の問題点

そして、翌77年、アメリカ最初の憲法として「連合規約」が可決されます。

（＊05）1215年「マグナカルタ」以来。

（＊06）ボストン虐殺事件。植民地人が雪玉を投げつけたことに対して、イギリス軍が発砲。死者そのものはわずかに5名だったが、これを契機にして、これまでの不満が独立戦争となって今にも勃発しそうな険悪な雰囲気となった。

国号が正式に「United States of America」(*07)と定められたのは、この「第1条」においてでした。

しかし、まさに中央政府(イギリス本国)との交戦中に制定されたものであったことが災いして、極めて中央政府の権力が弱い憲法になってしまいます。

その内容たるや、独立も主権も自由も、徴税権も常備軍も、すべて中央政府にではなく13州に与えられた(*08)ため、中央政府は13州からの拠出金で国家運営費を賄わなければならず、13州からの援兵で軍隊を編成しなければならないという有様でした。

これでは、合衆国は「13州を主権国家とするゆるい連邦体」にすぎず、およそ「主権国家」の体《てい》を成しているとはいえません。

アメリカの幸運①――憲法

このように法整備でいきなり躓《つまず》いたものの、独立戦争そのものは大陸軍(*09)が各地で優勢に駒を進めます。

1781年のヨークタウンの戦いに勝利したことで、アメリカ大陸からイギリス軍を駆逐することにほぼ成功し、ここに独立戦争は事実上決しました。

こうして1783年、ついにパリ条約が結ばれて独立が達成されます。

しかし。

ホッとしたのも束の間、86年にマサチューセッツ州で「シェイズの乱」という農民叛乱が勃発しました。

この叛乱自体はわずか1500人ほどの農民が立ちあがった程度の比較的小規模なものでしたが、連邦政府はこの鎮圧に手を焼きます。

なんとなれば、すでに見てまいりましたように、「連合規約」では連邦政府は常備軍を持っておらず、叛乱を鎮圧するためには13州から州軍を集めて事に当たらねばなりませんが、各州が州軍を出すことを渋ったためです。

当時、まだ独立戦争が明けたばかりで各州は財政難に陥っていたこと、また、各州が独

（＊07）直訳すれば「連合国」ですが、現在では慣習的に「合衆国」と訳されます。なぜそう訳されるようになってしまったのかは、諸説紛々としていてよく分かっていません。

（＊08）「徴税権も軍事権も地方政権に委ねられた」というのは、徳川幕藩体制にも似ています。そのため、「合衆国政府」と「徳川幕藩体制」を比較・検証する研究も多い。じつは、A.《アレクサンダー》ハミルトンも1787年の憲法制定会議において「徳川の幕藩体制を参考にしよう」と提案しているくらいです。

（＊09）1775年の第2回大陸会議以降、「植民地軍」改め、「大陸軍」と名乗るようになっていました。

立国家のごとき様相を呈していたため、マサチューセッツ州で起こった叛乱など「他人事《ひとごと》」だったという事情もありました。

――こんな小さな叛乱ひとつ鎮圧するのに、これほど手間取るようでは話にならんぞ⁉

もはや「連合規約」が欠陥品であることは明白だ！

これが契機となって「連合規約」を改正する動きが強まります。

しかし、連合規約の項目をひとつひとつ改正していくのは、そのたびに13州のうち2／3（9州）の賛成が必要になるため、ほとんど不可能。

そこで、憲法改正派は一計を案じます。

――連合規約の〝修正〟のためと偽って会議を招集しよう。

そこでドサクサにまぎれて、一気に連合規約を廃案に追い込み、中央集権のまったく新しい憲法を〝制定〟するのだ！

こうして「連合規約の修正」だと思って集まってきた代議士は、その場で「新憲法の制定」であることを知らされ、動揺します。

――これは、クーデターではないのか⁉

侃々諤々《かんかんがくがく》の討議が行われ、ようやく中央集権的な新憲法「アメリカ合衆国憲法」は産声をあげました。

もし、この合衆国憲法の制定に失敗していたら、20世紀にアメリカが覇を唱えることはなかったでしょうから、その引金となった「シェイズの乱」が起こったのは、アメリカにとって幸運だったといえるかもしれません。

アメリカの幸運②——外交

こうして「主権国家」として歩みはじめた合衆国でしたが、これからたいへん幸運に恵まれた国勢を歩みます。

ちょうどアメリカ合衆国が独立したころから、ヨーロッパは動乱の世を迎えました。

まず、アメリカが独立を果たした（1783年）わずか6年後、ヨーロッパではフランス革命が勃発したことを皮切りに、フランスを仮想敵国とした対仏大同盟が結ばれて革命戦争に突入します。

革命勃発から10年の時を経てようやく革命が収束していった（1799年）と思ったら、今度はナポレオン・ボナパルトが現れてヨーロッパを暴れ回り、以後15年ちかくにわたるナポレオン戦争(*10)に入ります。

まだ生まれたばかりで国家地盤が固まっていないアメリカが、こうしたヨーロッパの複雑な国際問題に巻き込まれていれば、たちまち分解していたことでしょう。

そうなれば、やはりアメリカが20世紀の覇者となることはなかったはずです。

しかし、アメリカにとって幸運だったのは、建国の地がヨーロッパから遠く離れた、広大な大西洋の先の西の大陸にあったこと。

これにより、ヨーロッパによるアメリカへの介入は最小限に抑えることができ、ヨーロッパ諸国同士で相争い、消耗していく中、アメリカはせっせと国力を蓄えることが可能となりました。

とはいえ、まったく無傷というわけにはいかず、連邦政府の中枢に「親仏派」と「親英派」が現れ、それが政争へと発展、初代大統領G《ジョージ》.ワシントンを悩ませてはいます。

初代国務長官T《トーマス》.ジェファーソンを中心とした親仏派は叫びます。

――独立戦争中、フランスからS《サン》.シモン伯爵やラファイエット将軍が義勇軍に駆けつけてくれたではないか!

今、その彼らが困っているというならば、恩返しするのが当たり前だ!

しかし、初代副大統領J《ジョン》.アダムズを筆頭とした親英派は叫びます。

――我々はイギリス人だ。

独立戦争を戦ったとはいえ、それが終わった今、やはり我々のもっとも近い同志はイギリスだ。

イギリスに加担するのが当然である！

これはたいへんまずい状況です。

建国まもない今は、何より国家の地盤を固めるとき、結束を図るときであって、ヨーロッパの複雑な国際問題に巻き込まれては、合衆国はたちまち分解してしまいます。

そこで、初代大統領 G.《ジョージ》ワシントンは「中立」を決断します。

しかし、彼の決断は左右（親仏派・親英派）両派から突き上げを喰らう結果となり、彼はノイローゼ状態に。

——こんなに誹謗中傷されるくらいなら、墓の中にいた方がマシだ！

こうして彼は、3期目の大統領選に出馬することを拒否し、第2代大統領に親英派の J.《ジョン》アダムズ、第3代大統領に親仏派の T.《トーマス》ジェファーソンが継ぐことになりました。

ところが、フタを開けてみれば、やっぱり両者ともワシントン大統領の「中立政策」を踏襲していきます。(＊11)

（＊10）ナポレオン戦争がいつ始まったのかについては学者によって見解が分かれます。第一次イタリア遠征の「1796年」説、ナポレオンが第一統領となった「1799年」説、アミアン和約が破棄された「1803年」説。

野党時代には手前勝手なことを言えても、与党となり、国家を牽引していく立場となれば、「中立」が最善の策であることは明らかなためです。

中立政策を遂行することで、政治的には「ヨーロッパの大乱の渦に巻き込まれて国内を二分するような事態を避ける」ことができ、経済的には「中立であることでイギリス陣営にもフランス陣営にも輸出が可能となって大きな利益を上げる」ことができ、一石二鳥です。

アメリカはまだ建国したばかりでその産業は弱体でしたから、もしこのタイミングでヨーロッパが平和であったならば、すでに産業革命を興していたイギリスの成熟した輸出品を前に、アメリカの産業は潰滅していたかもしれません。

このタイミングでヨーロッパが戦乱に次ぐ戦乱の時代に突入したことは、アメリカにとって幸運なことでした。

アメリカの幸運③——領土

ところで、アメリカ合衆国と西の国境を接する「ミシシッピ川以西のルイジアナ」はずっとスペイン領となっていましたが、第2代J《ジョン》・アダムズと、国務長官T《トーマス》・ジェファーソンが熾烈な選挙戦を戦っていた1800年、第三次サン・イルデフォンソ条約[*12]でフランス領になっていました。

これを知った第3代T《トーマス》・ジェファーソンは狼狽します。

――二流国家のスペインと国境を接しているならどうということもないが、今、飛ぶ鳥を落とす勢いのナポレオン・フランスと国境を接するとなると、これは脅威以外何物でもない！

当時、そのド真ん中を国境線が走るミシシッピ川を通商路として多くのアメリカ商船が往来していましたから、厳密には国境を侵していることになるわけで、ここをナポレオンに因縁つけられたら、米仏開戦となりかねません。

「中立政策」のアメリカとしてはそれだけは避けたい。

そのうえT《トーマス》・ジェファーソンは「親仏派」です。

そこで、さっそく駐仏大使顧問のJ《ジェームズ》・モンローを通じて交渉に入りました。

――なんとか、ミシシッピ川の自由航行権とその河口港ニューオリンズをお金で譲っても

（＊11）野党時代に大言壮語していた者たちが、実際に与党になった途端、「野党時代に散々糾弾してきた前政権の政策をそっくりそのまま踏襲する」なんてことは洋の東西を問わずよくあることで。

（＊12）ただしこれは「秘密条約」であったので、1802年までアメリカはこの事実を知りませんでした。

らえないだろうか？

ところが、交渉に当たった外相タレーランの言葉は驚くべきものでした。

――自由航行権を譲ってほしい？

それどころか、閣下《ナポレオン》はミシシッピ以西のルイジアナすべてを譲ってもよいとおっしゃっておる。

この提案にはT.《トーマス》ジェファーソンも狂喜し、ただちに購入を決断します。

こうしてアメリカは、1803年、ミシシッピ以西のルイジアナを二束三文で手に入れることに成功し、合衆国の領土は一気に2倍となります。

このころのナポレオンは対英決戦を決意しており、もしそうなれば、イギリスに海上封鎖されて海の向こうのルイジアナを失うことは目に見えており、そうなってしまう前に売却して戦費に充てた方が得策、と考えたためです。

これもアメリカ視点で見れば、ヨーロッパがこんな情勢でなければあり得ないおいしい話で、アメリカの幸運を象徴しています。

［アメリカ発展の理由①］
・建国精神を圧殺して、中央集権的な憲法の制定にこぎつけることができた。
・建国当初の混乱期を「中立」で乗り切る環境が整っていた。
・建国の地のすぐ隣に広大な「領地」があった。

すべてを反転させたイギリスの一手

こうして、1803年からヨーロッパはフランス陣営とイギリス陣営に分かれて「ナポレオン戦争」に突入していきましたが、「中立」を貫いたアメリカの商品はフランス陣営にもイギリス陣営にも輸出が可能となり、経済を潤すことになります。

しかし、敵の放った〝つぎの一手〟が、それまで「メリット」だったものをすべて「デメリット」に反転《リバース》してしまう——ということはよくあることです。

まるでオセロゲームのように。

このときのアメリカにも、その〝反転《リバース》〟が降りかかりました。

ほぼヨーロッパ大陸を手中に収めたナポレオンが、海上帝国イギリスを挫《くじ》くべく180

6年11月「ベルリン勅令(*13)」を発したのがきっかけです。

これはヨーロッパ大陸の諸国とイギリスとの交易を禁止したもので、イギリスは対抗措置として、翌1807年「自由拿捕《だほ》令(*14)」を発布。

これは、ナポレオンが「大陸を封鎖」したのに対し、「海上を封鎖」しようというもので、これによりアメリカの商船もヨーロッパ大陸に寄港できなくなってしまいます。

——我々アメリカはどちらの陣営にも属しているわけではないのだから、拿捕しないでもらいたい！

しかし、イギリス側にしてみれば、そんな例外を認めれば、自由拿捕令の意味がなくなってしまいますから断じて認めません。

米英戦争

こうしてアメリカ北部の産業界は、ヨーロッパ大陸の諸国に商品を輸出することができなくなって大打撃を被《こうむ》り、米英関係も一気に冷え込みます。

とはいえ、当時の北部産業界はいまだイギリス経済に依存していたため、ここで「自由拿捕令が不満」だからといって対英開戦すれば、対英貿易までも途絶し、北部の産業は潰滅してしまいかねません。

したがって、不満は大きかったけれど北部から「開戦！」の声が上がることはありませんでした。

ところがタイミングが悪いことに……というべきか、ちょうどこのころアメリカは西部に住むインディアンと交戦状態[(＊15)]に入っていたのですが、西部や南部の議員たちは、彼らインディアンの後ろで糸を引いているのはイギリスだと睨んでいました。

そのため「臭いニオイは元から断たなきゃダメ」とばかり、「インディアンを撃滅するためには、黒幕のイギリスを叩くしかない！」という政見が広がっていきます。

時の大統領J．《ジェームズ》マディソンは北部産業を守りたかったため、開戦には消極的でしたが、ついに西部・南部議員の開戦派「戦争の鷹《War Hawks》」の力を抑えることができず、1812年、イギリスと交戦状態に入ってしまいます。

（＊13）翌年には、立てつづけにフォンテンブロー勅令、第一次ミラノ勅令、第二次ミラノ勅令を発して、勅令を強化していきましたが、これらを総称して「大陸封鎖令」といいます。

（＊14）枢密院が発したものなので「枢密院令」とも、大陸封鎖に対抗したものなので「大陸逆封鎖令」とも呼ばれます。

（＊15）西部のテクムセの戦い（1811～13年）、南部のクリーク戦争（1813～14年）など。アメリカ人たちが情け容赦なくインディアンの地を剥奪していったことが原因です。

これが所謂「米英戦争（1812年戦争）」です。

対英戦線では、一時英軍が上陸して大統領官邸《ホワイトハウス》が焼け落ち(*16)、危機的な状況に陥ったこともありましたが、対インディアン戦線においては、H《ヘンリー》．ハリソン少将が首謀者テクムセを戦死させることに成功し、A《アンドリュー》．ジャクソン大佐がクリーク族に絶滅作戦《ジェノサイド》を実行したこと(*17)で、ほぼ戦争目的が達せられると、戦争は急速に終戦に向かいました。

当初、マディソン大統領は北部産業を守りたい一心で対英開戦を望んでいませんでしたが、いざ蓋《ふた》を開けてみると、北部産業は潰滅するどころか、内需拡大に力を注いだことで、イギリス経済への依存体制を脱却し、経済的に自立し、のちの第二次産業革命の基盤を作ることに成功します。

まさに「瓢箪《ひょうたん》から駒」。

この戦争が「第二次独立戦争（経済的独立）」と呼ばれることもある所以《ゆえん》です。

そのうえ、西部・南部のインディアンたちに対して絶滅《ジェノサイド》に近い大殺戮を実行したことで、以後、インディアンの抵抗がほとんどなくなり、広大な「新天地」を得て、アメリカはさらなる拡大と発展が可能となります。

イギリスが「膨大な黒人奴隷の屍」の上にPax Britannicaを築いていったように、アメリカもまた「膨大なインディアンの屍」の上に、これからPax Americanaを築きあげていくことになります。

一見きらびやかで華やかにみえる白人の繁栄は、つねに「膨大な有色人種の屍」の上に立つ、たいへん〝血なまぐさい〟ものだということを歴史から学ばなければなりません。

［アメリカ発展の理由②］

米英戦争によってイギリスとの交易が強制的に途絶した結果、経済的な自立を促し、それがのちの第二次産業革命を誘引した。

（＊16）「真っ黒に焼けただれた大統領官邸は、戦後白いペンキで塗りなおされたので、その後〝ホワイトハウス〟と呼ばれるようになった」と言われることがあります。しかし実際には米英戦争の前より「ホワイトハウス」と呼ばれていたので、これはデマです。

（＊17）ハリソンはのちの第９代大統領、ジャクソンはのちの第７代大統領となります。ジャクソン大佐はこのとき「女を逃すとインディアンどもはウジ虫のごとく増殖する！　女とみれば赤子であろうと例外なく皆殺しにせよ！」と命じています。ちなみに、民族そのものを絶滅させる行為のことを「ジェノサイド」といいます。

南北対立の要因

こうしてアメリカ合衆国は、図らずも米英戦争によって発展の基盤を手に入れることになりましたが、「Pax Americana」への道はまだまだいくつかの試練を越えていかねばなりませんでした。

イギリスは戦中、対米貿易が断絶したことで在庫《ストック》を抱え苦しんでいたため、戦後、ここぞとばかり、アメリカに輸出攻勢をかけてきます。

当時すでにイギリスの産業は「産業革命の完成期」が間近に迫り、成熟していたのに対して、アメリカの産業は産業革命どころか、ようやく〝よちよち歩き〟できるようになったばかり。

まさに〝大人と子供〟で、まったく太刀打ちできません。

そこで、アメリカ北部の産業界を守るため、1816年「一般関税法」が制定され、保護貿易に突入します。

イギリスから輸入される「安価で高品質な商品」に高関税をかけることで自国の商品を守ろうとしたわけです。

しかしそんなことをされては、イギリスの商品が売れなくなってしまうため、イギリスはこれに抗議します。

――関税をかけるのを止めよ！

しかし、交渉が決裂すると、イギリス側は報復措置に出ます。

イギリスの産業革命は綿布を主力とし、その原料である綿花を多くアメリカ南部から輸入していましたが、これに高関税をかけたのです。

これをやられると、今度は南部の大農主《プランター》が大打撃を被ります。

こうして、北部の資本家《ブルジョワ》を守るために実施した関税が、巡り巡って南部の大農主《プランター》を苦しめる結果となり、北部と南部の対立が表面化していきました。

南北戦争

このように南北の対立が生まれる中、ちょうどそのころ、アメリカ人による西部地域への植民活動が活性化していきます。

――我々が西へ西へと植民していくことは、神が与え給うた〝明白なる天命《マニフェストデイスティニー》〟である！

こうして、さらなるインディアンの殺戮・駆逐・掃討しながらの植民活動が盛んになりましたが、それは北部と南部の勢力争いの場ともなります。(*18)

なんとなれば、こうして新たに州が生まれれば、それが「北部の自由州」となるか「南部の奴隷州」となるか(*19)で、連邦議会の議員数に直結するためです。

北部と南部の対立が深刻化する中、両陣営とも議員の数はひとりでも増やしたい。

こうして、熾烈な〝新州争奪戦〟が繰り広げられる中で、1854年、「南部憎し！」の議員たちが結集して生まれたのが、現在まで脈々とつづく「共和党《リパブリカン》」です。

南部議員は「民主党《デモクラティック》」を権力基盤として対抗していましたが、両者が歩み寄ることはついになく、1860年の大統領選で共和党《リパブリカン》の候補（A《エイブラハム》．リンカーン）が大統領に当選すると、これに危機感を覚えた南部は、ついに翌61年、内乱《シビルウォー》を起こします。

これが「南北戦争《シビルウォー》」(*20)です。

南部諸州は「アメリカ連合国」として独立を宣言、以後足かけ4年にわたって合衆国は国を二分して戦うことになりました。

ちなみにアメリカ合衆国は、独立戦争から始まって21世紀の現在に至るまで、いくつもの対外戦争を経験してきましたが、その戦死者数は意外なほど少なく、そのすべてを総計しても60万に届きません。

しかし、このときの内乱《シビルウォー》だけで北軍と南軍、両軍あわせて戦死者は65万を超えるという惨事となりました。

金ピカ時代

とはいえ、それだけの犠牲を払った甲斐はあり、これにより〝国内の膿《うみ》〟を出すことに成功したアメリカは、これから約30年間、「金ピカ時代《ギルデッドエイジ》(＊21)」と呼ばれる急成長期に入ります。

■歴史法則34■
内乱や改革は、体内の癌を取り出す外科手術。

成功すれば健康を取り戻し、失敗すれば死ぬ。


(＊18) 上院は各州2名ずつ、下院は人口比別に議員数が割り振られていました。新しく生まれた州を自陣営に取り込むことは、政治的発言権を高めるために必須でした。

(＊19) 北部では工業が発達したため、労働者の需要から奴隷解放が進み、南部ではプランテーションが発達したため、奴隷の需要から奴隷制が浸透しました。このため北部と南部で利害が対立し、自勢力の州を増やそうとお互いに躍起になっていました。

(＊20) 英語では「the Civil War」。直訳では「内乱」ですが、アメリカで「内乱」といえばこのときのものを指すため、固有名詞化してこう呼ばれます。日本語では「南北戦争」と意訳します。

(＊21) 正確には、南北戦争の終わった1865年から恐慌に見舞われた1893年までの28年間。

まさに「禍福は糾《あざな》える縄の如し」。

すでに南北戦争前の1850年には北米西海岸にカリフォルニア州が生まれていましたが、これにより13州のひしめきあう東海岸と西海岸のカリフォルニアを鉄道でつなげたいという要望が急速に高まっていました。

そこですでに戦中から部分的に鉄道建設がはじまっていましたが、内乱《シビルウォー》が終わったことを契機としてこれが本格化、ついに1869年、サンフランシスコからシカゴまでをつなぐ最初の大陸横断鉄道が貫通します。

これを契機として、あの広大なアメリカ大陸に網の目状に鉄道が建設され、これが世界に先駆けて「第二次産業革命」を誘発させることになりました。

人手はどれだけあっても足らず、この19世紀後半から20世紀初頭にかけて、ヨーロッパの各地から4000万人(*22)もの人々がアメリカに移民してきます。

人口は国力です。

工業生産力は、第二次産業革命段階に入った1870年代にはドイツ・フランスを抜き、80年代にはついにイギリスを抜き、90年代には英・独・仏三大国の合計と肩を並べるまでになり、めざましい発展を遂げることになります。

しかし、すでに我々は繰り返し学んでまいりました。

——殷富は富の偏在を促し、富の偏在は秩序を破壊する。(*23)

富の蓄積が短期間であればあるほど、大きければ大きいほど、〝富の偏在〟を加速させるものです。

案の定、この時期、鉄鋼王カーネギー、石油王ロックフェラーらをはじめとする昔の王侯など比較にならない贅《ぜい》を尽くした常識はずれな大富豪が濫立するようになり、彼らはトラスト(*24)を組んでさらなる巨利を得、貧富の差がどんどん拡大していきました。

——貧富の差の拡大。

これは、国家にとって「死に至る病」で、これまで歴史上に現れたどんな超大国も、この問題を解決できない国は、確実に亡んでいくことになります。

ローマの歴史を思い起こしていただければ分かるように、こうしたとき、如何に政府が柔軟な姿勢を見せ、「富の再分配」(*25)を図ることができるか否か。

ここにその国の未来がかかっています。

(*22)　この時期の全ヨーロッパの人口は4億人弱でしたから、その1/10を超える数字です。

(*23)　「歴史法則05」

(*24)　同一業種の企業が吸収・合併し、巨大な会社となって、その業界を独占すること。

しかし、この時代の大富豪のひとりF《フレデリック》・マーティン(＊26)のこの言葉を聞けば、アメリカの未来には暗雲が垂れ込めていることがわかります。

――我々の金をふんだんにバラまいて、政治的コネを作り、上院議員、下院議員を買収し、扇動家を雇い、我々の利益を脅かす者はたとえ大統領であろうとも潰してくれる！

自分の権勢欲・奢侈《しゃし》欲を満たすことしか頭にない、取るに足らぬ小人《しょうじん》の、国を亡ぼす考え方ですが、この言葉に象徴されているように、すでに大富豪たちと議員は癒着でズブズブの関係にあり、共和党であろうが民主党であろうが、貧しい者たちの味方ではありませんでした。

これでは、アメリカの未来は暗い。

確かにこの時期のアメリカは、外から見る分には目を瞠《みは》るばかりの経済発展を見せていましたが、国内情勢は混迷の時代となります。

――歴史は繰り返す。延々と。(＊27)

まさに、「表向きには地中海沿岸をつぎつぎと制覇していき、勢いがあるようにみえながら、国内は混迷を極めていたローマ」の姿と被《かぶ》ります。

この時代を表す言葉を、敢えて「Golden Age（黄金時代）」とはいわず、「Gilded Age

（金ピカ時代）」とされるところに、そうした皮肉的な意味合いが込められています。（＊28）

第三の政党・人民党

そこで、頼りにならない共和党・民主党に代わって、１８９１年、農民たちの利害を代弁する〝第三の政党〟として「人民党《ポピュリスト》」（＊29）が生まれています。

翌92年の大統領選には旋風を吹かせることに成功し、共和党・民主党を大いに動揺させました。

これに狼狽した共和党のT.《セオドア》ルーズヴェルトなどは「やつらはアメリカ政府の国家転覆

（＊25）「歴史法則02」バランスを失ったとき、為政者に富や権利の再分配をする柔軟性があるかどうかが国家再建の分岐点となる。

（＊26）１８９７年にアメリカ中の大富豪７００人を招き、一晩で１０００万ドルを費やした盛大な仮面舞踏会を開いたことで有名なブラッドリー・マーティン弁護士の弟。

（＊27）「歴史法則19」

（＊28）つまり、Golden（純金）なら「中身までホンモノ」ですが、Gilded（金箔）は「上辺だけ輝いて見えるが、中身が伴っていない」という皮肉です。

（＊29）得票率８・５％で、候補者中第3位。

を目論んでいる！　指導者たちを皆殺しにせよ！」と叫ぶほどでしたし、民主党は逆に人民党《ポピュリスト》の政策を横取りして、その支持者の吸収を狙います。

この民主党の策があたり、人民党《ポピュリスト》はアッという間に民主党に吸収されていくことになりましたが、しかしこの党の存在は、両党に「このままではまずい」という危機感を持たせることに成功したのです。

革新時代

この危機感が、19世紀末から20世紀初頭の「革新時代（進歩主義時代）」を生みます。

ローマにおいて「貧富の差」が拡大したとき、そのたびに貴族たちが見事な柔軟性を示し、民主化改革を実行して「富の再分配」を行って国を発展させたように、このときのアメリカも〝自浄能力〟を見せたのでした。

まず、政界財界の癒着・贈収賄などの腐敗を曝露《ばくろ》し、それまでなかった「所得税」を導入して金持ちから税を徴収するシステムを導入し、その増税で得た財源で、8時間労働制、最低賃金制、有給休暇などの労働改革や、市民の福祉の拡充を図る。

また、反トラスト法を適用して、独占によって巨利を得ていた企業をつぎつぎと告発し、解散に追い込んでいき、さらに地方ボスの収入源となっていた酒を禁じ（禁酒法）、こうした一連の改革の支持票を増やすために女性参政権も付与。

　このように、一定の改革は進められました。

　しかし、あまりにも広がりすぎた貧富の差に比べれば、まだまだそれは「富の再分配」というにはほど遠いもので、ローマの歴史で喩えるならそれは、「富の再分配を行ったリキニウス＝セクスティウス法」ではなく「飢えた民衆にパンとサーカスを保障した」弥《び》縫策《ほうさく》の域を出ません。

　そのゆるやかな改革に不満の労働者たちによる労働運動は頻発しています。

　しかし、ローマもそうだったように、多少の国内問題など、領土を拡大することでムリヤリ抑え込むことは可能です。(*30)

砲艦外交

　その点、アメリカは国内に膨大な「無主の地(*31)」を有していたため、それが可能でした。

（*30）　しかし膨張によって支えられた安定は、その膨張が止まったとき、国内矛盾が一気に噴出して、崩壊することを意味しますが（歴史法則28：国内矛盾を対外膨張戦争で押さえ込んだ国は、つねに膨張しつづけることを余儀なくされる。）。

改革は〝イバラの道〟ですが、成功すれば未来は明るい。

膨張は〝安易な道〟ですが、ひとたびこの道に入れば後戻りはできません。

あとは限界が来るまで膨張しつづけるのみです(＊32)。

しかしアメリカは、この〝後戻りできない安易な道〟を選んでしまいました。

するとたちまち、あれほど広大だった「西部」も、アッという間に食い尽くし、それにも飽き足ることなく、つぎは「海（太平洋）」へ向かいます。

以後、アメリカは「軍艦を並べて軍事的威嚇によって有利に外交交渉を行い、侵掠《しんりゃく》政策を進める」という、所謂「砲艦外交」を行っていきます。

すでに19世紀半ばに西海岸に達したとき（1848年）、彼らは目の前に広がる太平洋をそのまま突き進み、その先にあった日本に対し、江戸湾に「黒船」を並べて開国を求めた（1853年 ペリー来航）ことはあまりにも有名です。

もっともまだこのころは、捕鯨のための寄港地程度にしか考えていませんでしたが、19世紀の末までに北米を食い尽くしたアメリカは、いよいよ建国以来の「孤立主義《モンロー》」をかなぐり棄てて「侵掠」を目論むようになります。

――我々アメリカ合衆国だけが、アメリカ大陸諸国に介入する権利を持つ！

要するに、孤立主義《モンロー》を「アメリカだけが独占的に侵掠行為を行使できる権利」と論理のすり替えを行ったのでした。

まず彼らが目をつけたのが、北米大陸のすぐ南に隣接するカリブ海。

当時この海域はスペイン植民地でしたが、たまたまキューバのハバナ湾に停泊していた米艦メイン号が突然爆沈した事件を捉え、「スペインの陰謀である！」として国民を煽ります。

ほんとうの原因は単なる「事故」でしたが、スペインとの開戦口実を探していたアメリカにとって「真実」などどうでもよいこと。

こうして1898年に勃発したのが「米西戦争」です。

新進気鋭の「世界第3位の海軍大国(＊33)」アメリカと「旧時代の二流国家」スペインでは、結果は火を見るより明らかでした。

戦後アメリカはカリブ海・太平洋地域におけるスペイン植民地をことごとく押さえ、キ

(＊31)　もちろん、インディアンたちを殺戮し、駆逐し、掃討して手に入れた土地のことです。

(＊32)　「歴史法則28」国内矛盾を対外膨張戦争で押さえ込んだ国は、つねに膨張しつづけることを余儀なくされる。

(＊33)　19世紀後半をかけて莫大な予算を割いて海軍を増強し、19世紀末までにアメリカは、イギリス、ドイツに次ぐ世界第3位の海軍大国になっていました。

ユーバを保護国とし、プエルトリコを併合して、カリブ海域を「アメリカの裏庭」としたのみならず、太平洋ではフィリピン・グァムを併合し、その影響力を太平洋地域にまで延ばします。

［アメリカ発展の理由③］
建国以来の「孤立主義《モンロー》」の解釈を都合よく変えることで、ヨーロッパの介入を阻み、植民地を独占的に拡大することが可能となった。

中国進出

そうなれば今度は、ここフィリピン・グァムを橋頭堡(*34)として中国を見据えます。

しかし、一歩遅かった！

その1898年、中国・清朝は、旅順《リューシュン》・大連《ダーリエン》をロシアに、威海衛《イーハイリエ》をイギリスに、膠《チャオ》州《チョウ》湾をドイツに、広州《クワンチョウ》湾をフランスに与え、それに日本を加えた列強5ヶ国に「勢力範囲」を認めさせられ、すでに「瓜分《かぶん》」(*35)はほとんど終わっており、アメリカが付け入るスキはなくなっていました。

アメリカは伝統的に「中立主義」で、それは第5代J.《ジェームズ》モンロー大統領の「モンロー教書（1823年）」により完成し、このころすでに空文化していながらまだ公式に棄てたわけではありませんから、この中国分割に「俺にも一枚嚙《か》ませろ」とはいえません。

そこで翌1899年、当時の国務長官J.《ジョン》ヘイは所謂「門戸開放宣言」(＊36)を発します。

——特定の地域の利権を特定の国が独占するのはよくない。

誰にも平等に門戸は開かれているべきであり、機会は均等に与えられるべきである！

門戸開放、機会均等。

たいへん耳当たりのよい、御《お》為《ため》ごかしの美辞麗句が並んでいますが、要するに「我がアメリカにも、中国を喰いモノにさせろ」と言っているだけです。

（＊34）足掛かりとなる最前線基地のこと。

（＊35）このころの「中国分割」を中国側から見た危機感を表した言葉。「瓜分」というのは中国語で「領土分割」の意。

（＊36）正確には「宣言」ではなく「通牒」。宣言も通牒も、政府の見解・方針などを表明する行為である点はおなじですが、「宣言」は不特定の他国に対して、「通牒」は特定の一国に対して行います。したがって、「通牒」を同時に多くの国に送りつければ「宣言」と変わらない効果となり、今回も実質を重んじて一般的に「宣言」と呼ばれます。

〔アメリカ発展の理由④〕
自国の行う悪事悪行を美辞麗句に言い換えることが異常に得意であったため、国民・国際世論を味方につけることができた。

もちろん、列強はこれを黙殺。

満州争奪戦

そこでアメリカは、当時いまだその支配権を巡ってモメていた満州《まんしゅう》に目をつけます。

じつは、アメリカが「門戸開放宣言」を発した翌1900年、中国では「義和団《ぎわだん》の乱（北清事変）」が起こっていました。

「瓜分《かぶん》の危機（1898年〜）」に対する排外運動が暴動化したものです。

この叛乱自体は、「8ヶ国共同出兵」が行われて、アッという間に鎮圧されて終わりましたが、このドサクサにまぎれてロシア軍が満州を不法占拠したまま撤兵しなくなってしまいます。

これに国家存亡の危機に立たされたのが日本。

そして、制海権の脅威を受けたのがイギリスとアメリカでした。

このまま満州がロシアの支配下に入れば、ロシアはここを橋頭堡として朝鮮半島を支配下に置くことは火を見るより明らかでしたし、そうなれば、日本も朝鮮の二の舞となって亡ぼされることは確実だったからです。

そしてそうなれば、ロシアは朝鮮・日本を足場として太平洋へ海上発展することは明白で、海上支配権を握るイギリス・アメリカにとってははなはだ都合が悪かったのです。

そこでイギリスは日英同盟（1902年）を結び、アメリカも不平等条約（治外法権）を撤廃（1899年）したり、日露戦争の仲介の労を執ったりして、日本を陰に日向《ひなた》に掩護《えんご》しました。

日露戦争後の日米関係

当時の日露は、人口で3倍、海軍力で3倍、陸軍力で15倍、歳入で8倍という圧倒的国力差にあって、本来日本にはまったく勝ち目のない戦争でしたが、こうした掩護のおかげもあってなんとか日本が辛勝、ロシア軍を満州から全面撤退させることに成功します。

しかし日本は賠償金が取れなかったため、戦後、悶絶することになります。

日本の歳入が2億5000万の時代に17億円（歳入の7年分）もの戦費を費やしました

から、すでに国力は疲弊しきっていて日本国民が食べていくことすらままならず飢えに苦しんでいるというのに、そのうえこの借款を返還していかなければなりません。

――一将功なりて万骨枯る――

戦争そのものには勝利し、ロシアの奴隷民族になる危機からは脱したものの、国は荒廃するばかり。

この先の見えない事態を打開するためには、満州・朝鮮から新しい収益を得るしかありませんが、当時の満州・朝鮮は日本に負けず劣らず貧困にあり、とてもそこから収益を上げる状態にありません。

そこでまず、満州・朝鮮から収益が上がるようにするため「投資」が実施されます。

もちろん、日本に投資の資金などありませんからさらなる借款です。

いわば「借金を返すために借金をする」というドツボに入っていったのです。

ここに目をつけ、甘言をかけてきたのがアメリカ鉄道王 E《エドワード》.ハリマン。

――どうだろう、1億円の資金を提供しようではないか。

その代わり、南満州鉄道を共同経営にしよう！

当時の日本にとって、1億円は喉から手が出るほどほしい。

時の元老・桂《かつら》太郎《たろう》、伊藤博文《いとうひろぶみ》、井上馨《いのうえかおる》らは、ついついこの甘言に乗り、桂ハリマン覚書を交わしてしまいます。

しかしその直後、ポーツマスから帰国してきた小村寿太郎《こむらじゅたろう》は、これを知って激怒。

――こんな「共同経営」など名ばかりだ！

やつらは口先では日米平等と謳っているが、これを足掛かりに実質的経営を乗っ取る気であることは目に見えているではないか！

それでは日露戦争で散っていった〝十万の英霊〟に申し訳が立たぬ！

こうしてアメリカは、仮協定まで漕ぎつけながら一方的に破棄され、アジアへの足掛かりを挫かれたため、日米関係がこのあたりからギクシャクしはじめました。

――東アジアを我が国《アメリカ》の隷属下に置くためには日本が邪魔だな。

アメリカはつぎに「満州鉄道中立化」を提案（１９０９年）するも、これも「中立化」といえば聞こえはいいが、中立化することでアメリカが食い込もうとしているだけで「J.《ジョン》ヘイの門戸開放宣言」（285ページ）と同じ精神のものでしたから、この見え透いた提案に日本はおろか、英・仏・露ともに反対し、失敗に終わります。

東アジアまで隷属下に置こうとするアメリカにとって、日本という国が「障壁」となりはじめます。

第一次世界大戦の勃発

しかしここで、アメリカは日本などに構っていられない事態に突入します。

1910年、メキシコで実施された大統領選挙の不正がきっかけとなってメキシコは革命へと発展していきましたがアメリカはこれに介入し、メキシコを属国にするべく策動したためです。

しかしその直後、今度は〝ヨーロッパの火薬庫〟サライェヴォでオーストリア帝位後継者夫妻(*37)が暗殺されたのを契機に、ヨーロッパで大戦が勃発。

大戦勃発当初、ラテンアメリカから東アジアにかけての侵掠に忙殺されていたアメリカにとって、このうえヨーロッパ外交問題に巻き込まれたくないという想いもあり、時の大統領W.《ウッドロー》ウィルソンは伝統的「孤立主義《モンロー》」を盾に、第一次世界大戦への中立を宣言します。

すでに、カリブ海・太平洋・東アジアに対して露骨な侵掠行為を行いながら、今さら「孤立主義《モンロー》」を盾にするというのもそらぞらしい話ですが、しかしこれは、当時の一般的な国民感情を概《おおむ》ね反映したもの(*38)でしたし、なによりアメリカにとってたいへん都合のよい策でした。

なんとなれば、中立宣言をしたことでアメリカは戦禍を受けることもなく、ヨーロッパから物資の注文が殺到するようになったと同時に、融資もアメリカ銀行に頼ってきたため、アメリカは建国以来の債務国（赤字）からたちまち債権国（黒字）へ飛躍することができたためです。

中立か、参戦か

しかし、それも長くはつづきません。

戦争が長引くと、アメリカ産業界に不安が広がります。

――あまり戦争が長引いて、万が一にもイギリス陣営が敗れるようなことにでもなれば、せっかくこの戦争特需で得た莫大な債権も不良債権と化してしまうかもしれない。

そうした不安が、徐々に産業界を「参戦派」に傾かせていきます。

そもそもアメリカの支配層・富裕層は、イギリスと同じアングロサクソン系でしたし、

（＊37）時の墺帝F《フランツ》.ヨーゼフ1世は、甥のF《フランツ》.フェルディナントを「帝位後継者」とはしたものの、「皇太子」とは名乗らせませんでした。彼の妻ゾフィがドイツ人ではなくスラヴ人だったためです。

（＊38）当時（1914年）取られたアンケート調査では、「中立支持66％」「協商側参戦29％」「同盟側参戦5％」という結果でした。

言葉も英語圏、さらにその歴史的背景からイギリスとの関係は深く、親近感が強かったため、心理的にイギリス寄りでしたから尚更です。

そんな折、ドイツが「第一次無制限潜水艦作戦」をかけます。

「無制限」というのは「設定海域（ブリテン島周辺）を通る船は、軍艦・商船・客船の区別なく無警告で撃沈する」(*39)という意味で、これはイギリスが食糧・武器・弾薬を海外輸入に頼っていたため、これを封殺し、イギリスを渇《かつ》え殺しにするためです。

すると、すぐにイギリス客船「ルシタニア号」が撃沈される事件が起こり、イギリスはドイツの非道を訴え、乗客の中に１２８名のアメリカ人がいたことでアメリカを激怒させました。

――ドイツは、何の罪もない民間人しか乗っていない客船を問答無用で撃沈した！

しかし、これは明らかに米英の謀略です。

そもそもドイツは、ルシタニア号がニューヨークを出港する直前のアメリカの新聞にわざわざ警告の広告を出しています。

――ドイツは現在イギリスに向かう船はすべて無警告で撃沈している。

　にもかかわらず、イギリスへ向けて渡航しようとする者は、

　自己の責任におけるものと心得るべし！

しかも、ルシタニア号の広告のすぐ横に！

にもかかわらず、アメリカ政府は、米英間の往来に警告を発するでもなく、規制するでもなく、ルシタニア号は多くの民間人を乗せて予定どおりイギリスに向けて出港しています。

しかも、イギリスへの輸出品、武器・弾薬を満載して。

これは合衆国政府が、露骨にアメリカ国民を「人間の盾」(＊40)として客船に武器を満載して輸出させ、無事イギリスに着港できたなら「武器輸出」という目的を果たすことができるし、撃沈されれば「戦争口実を得る」ことができるという意図があったことは明白です。

(＊39) 当時の潜水艦技術では、潜水中に敵船の発見はできても、それが軍艦なのか客船なのかの区別はできませんでしたし、たとえ浮上して目視で確認したとしても、表向き客船を装って中身は「軍需物資満載」ということも横行していたため、ほんとうにそれが「純粋な客船」かどうかを調べる術《すべ》はありませんでしたから、必然的に「無制限」にならざるをえませんでした。

(＊40) 敵に攻撃されたくない地点に民間人を配してそれを敵に知らせ、攻撃を思い留まらせる軍事手段。国際法規上、戦争犯罪。

［アメリカの開戦手続①］
アメリカは、戦争口実を得るためなら、多数の国民の命を犠牲にすることも厭《いと》わない。

アメリカという国は、良きにつけ悪しきにつけ「徹底した民主国家」です。

したがって、国民の同意なく物事の決定はできませんから、政府が開戦を欲したとき、かならず国民が納得するような戦争口実を探します。

それが見つかればよし、もし見つからなければ「挑発」「因縁」「誘導」「捏造《ねつぞう》」など(*41)、ありとあらゆる裏工作を講じ、その際、自国民の命を大量に犠牲にすることなどまったく厭いません。

しかし今回は、世論が沸きたったものの、ドイツがただちに「無制限潜水艦作戦」を撤回したこともあって、結局開戦にまでは至りませんでした。

「勝利なき講和」から宣戦布告へ

アメリカ国内でも「参戦」と「中立」で世論は揺れ動きます。

1917年1月22日、W.《ウッドロー》ウィルソン大統領は「勝利なき平和」を掲げて、講和の斡《あっ》旋《せん》に乗り出します。

――両陣営とも、領土や賠償金の請求をせずに、講和しようではないか！

しかしこれは、ちょっと正気を疑うほどの世迷い言であって、当然両陣営ともに相手にするはずもなく、そのわずか1週間後、ドイツが「第二次無制限潜水艦作戦」を開始（2月1日）し、講和どころではなくなります。

そのうえ、さらにその1ヶ月後には、ドイツがメキシコに「軍事同盟を結んでアメリカを挟撃する」誘いをかけていることがイギリスによって曝露され（2月25日）、ドイツもこれを認めます（3月3日）。

これにはアメリカ世論も一気に「参戦！」に傾き、その1ヶ月後には、ウィルソン大統領の名の下、宣戦布告（4月6日）がなされました。

ウィルソンが「勝利なき講和」を掲げたその手が、わずか2ヶ月強で「宣戦布告文」を掲げることになったのです。


（＊41）具体的に例を列挙すれば、挑発なら「ペリーによる江戸湾侵入」など、因縁なら「米艦メイン号爆沈事件」など、誘導なら「真珠湾事件」など、捏造なら「第二次トンキン湾事件」など。

すでに見てまいりましたように、アメリカ合衆国は建国当初「中立主義」を国策に掲げて、ヨーロッパと距離をおく（こちらから介入しない）ことで建国初期の地盤固めをしましたが（263ページ）、それも一段落すると、これをもう一歩進めてヨーロッパの介入を阻む「孤立主義《モンロー》」へと発展し、アメリカ大陸の富を合衆国が独占的に貪《むさぼ》り食う環境を整えました（282ページ）。

しかし、やがて北米大陸も食い尽くすと、さらにそれを拡大解釈して、西半球（南北アメリカ大陸・カリブ海・太平洋）全域において、合衆国が積極的に侵掠することを是認する「ルーズヴェルト系論」が主張されるようになります。

このように、アメリカはその場その場のご都合主義で「介入しない」→「介入させない」→「合衆国だけが積極的に侵掠できる」と拡大解釈を重ねてきましたが、「ヨーロッパには介入しない」という一線だけは守りつづけてきました。

しかし、今回その一線をも破り、ヨーロッパへと派兵を決定したことは、ついに「孤立《モンロー》主義」を棄て去ったことを意味しました。

「14ヶ条」の本性

すでに1917年の時点でドイツの敗北は時間の問題でしたが、アメリカ参戦でその敗北は決定的となります。

にもかかわらず、その絶望的状況からドイツは〝民族の誇り〟だけを縁《よすが》にさらに1年半にもわたってふんばったのですから、その誇り《プライド》の高さは敬服すべきものがあります。

しかし、そのドイツも1918年11月11日ついに降伏、こうして足かけ4年半つづいた第一次世界大戦は終結します。

年が明けた翌1919年1月から始まった「パリ講和会議」は、撒き散らされた腐肉を米・英・仏がむさぼりあう修羅場となります。

イギリスは、戦争でガタガタとなった「大英帝国《パックスブリタニカ》」を死守するため。

フランスは、ナポレオン時代のような大陸覇権を復権するため。

そしてアメリカは、19世紀までの旧秩序（Pax Britanica）に代わって、20世紀の新秩序（Pax Americana）を構築するため。

そのためにウィルソン大統領は、ちょうど1年前に自ら謳った「14ヶ条の平和原則」を掲げて、勇んでパリに乗り込んできます。(＊42)

（＊42）建国以来「孤立主義《モンロー》」を取っていたアメリカ合衆国大統領が、ヨーロッパを訪れたのはこれが史上初めてのことでした。

14ヶ条の平和原則。

歴史を紐解くと、「評価」と「実態」がかけ離れていることはよくありますが、これもその代表的な一例です。

巷間、「真に平和を愛したウィルソン大統領の国際平和を希求する精神が形となって現れたもの」という認識が蔓延していますが、これぞ、アメリカお得意の〝御為ごかしの美辞麗句《きれいごと》〟の塊で、その真の目的は「Pax Americana の実現」にすぎません。

●第1条　秘密外交の禁止

——列強各国がコソコソと裏で密約を結ぶから、このような大戦が生まれる。

秘密外交をやめ、公開外交で正々堂々と話し合おう！

耳当たりのよい言葉が叫ばれていますが、その実態は「以後、アメリカの関知しないところで勝手に列国同士が密約を結んではならない」「これからはアメリカの意向の下に従え」という意味にすぎません。

家康《いえやす》が「武家諸法度（1615年）」で、「大名は私《わたくし》に婚姻を結ぶべからざる事（幕府の許可なく勝手に大名同士が結婚することを禁止する）」としたことと法精神は同じです。

●第2条　公海の自由

——海は誰のものでもない、万国が平等に使用できるようにすべきだ。それを特定の国が独占しようとするから争いとなるのだ！

ここで言う〝特定の国〟とはイギリスのことです。

当時、辺境の島国にすぎないイギリスがPax Britannicaを謳歌できたのは、制海権を握っていたからです。

そこで、このような御為ごかしを訴えることで、イギリスから制海権を奪い、Pax Britannicaを突き崩そうとしたにすぎません。

家康が大坂冬の陣において「和睦《わぼく》」と称して大坂城の濠《ほり》を埋めさせたのと同じです。

●第3条　関税障壁の撤廃

——関税などという障壁《バリア》を作るから国家間で争いとなる。

関税を撤廃し、世界中を自由貿易とすれば、争いのタネもひとつ減ることになる。

関税問題が国際紛争の火種となることは事実です。

しかし、関税というものが「障壁《バリア》」となるのは経済強国から見た一方的な見方であって、経済弱国にとっては「身を守るための大切な鎧《アーマー》」です。

アメリカの言っていることは、戦場において「貴様の鎧が邪魔で、私の槍がお前の体を貫けぬではないか。脱げ！」と言っているのと同じで、理不尽きわまりない暴言ですが、それをさも「正道」のように発言するところがアメリカのアメリカたる所以でもあります。

●第4条　軍備縮小

――このような大戦になったのも、各国が遮二無二軍拡を行ったためである。

軍備を縮小して平和な国際世界にしよう！

日本人はこうしたアメリカ人の巧言にコロコロと騙されます。

もしアメリカが本心からそう思っているなら、まず自国が率先して「軍備縮小」を実践しなければならないところですが、実際には、自らは世界第一の軍事大国でありつづけ、軍拡をつづけています。

もちろんこれも、アメリカ以外の国をなるべく弱体化させ、アメリカが圧倒的No.1の超大国として世界に君臨し、Pax Americanaを実現するための方便にすぎないからです。

家康が「一国一城令」を発布して、「以後、大名の領国ごとに一城を残して残りはすべて廃城とせよ」としたのと同じです。

●第5条　植民地問題の公正なる解決
——そもそも先の大戦は植民地争奪戦が大きな原因のひとつとなっている。

　この問題を公正な形で解決することが国際平和への道である。

英仏が19世紀に覇を唱えることができたのは、世界中に植民地を持ち、ここから富を吸い尽くすという非道の限りを尽くしてきたからです。

ならば、これを英仏から剝ぎ取ってやれば、彼らの覇権はたちまち崩壊し、そのあとに「Pax Americana」を実現すればよい。

そもそも「公正なる解決」とはいったい〝誰〟にとっての「公正」か、ということを考えれば、その本質もみえてきます。

もちろん、アメリカにとって都合のよい解決が「公正」ということです。

●第6～13条　ヨーロッパにおける民族自決
そして「14ヶ条」の半分以上は、大戦によって破壊されたヨーロッパの秩序回復を「民族自決」の美名の下に実行することに費やされています。

そして、最後に。

●第14条　国際平和機構の設立

――二度とこんな悲惨な戦争が起きないように、国際平和を監視するための国際機構を創ろう！

しかしこれも、アメリカが「Pax Americana」を維持するための執行機関として利用しようとしたにすぎません。

「14ヶ条」とは、まさにアメリカの「悪事悪行を美辞麗句で言い換える特技」が凝縮したものですが、こんな見え透いた御為ごかしにモノの見事に騙されている者はたいへん多く、そんなウィルソン大統領に「ノーベル平和賞」が与えられているのは、滑稽の極みです。

パリ講和会議

このように「14ヶ条」は隅から隅まで美辞麗句《きれいごと》に埋めつくされていますが、その本意はあくまで「Pax Americana の実現」であり、さらに言えば、「イギリスに代わってアメリカが世界中の富を吸い尽くして栄華を誇りたい」と考えていたにすぎません。

しかし。

そうしたウィルソンの野望に、あの老獪《ろうかい》な英相L《ロイド》.ジョージが、海千山千の仏相G《ジョルジュ》.クレマンソーが気がつかないわけがなく、また、権謀術数渦巻くヨーロッパで生き抜いてきた彼らと、アメリカ大陸の〝お山の大将〟としてやってきたウィルソンでは、政治家としては〝格〟が違います。

ウィルソンはL《ロイド》.ジョージ・クレマンソー両名にいいようにあしらわれ、「14ヶ条」はモノの見事に換骨奪胎《かんこつだったい》されていくことになります。

こうしてイギリスは、ウィルソンの外交無能のおかげもあって、何はともあれPax Britannicaを死守することに成功しました。

ワシントン会議

しかしながらそれは、L《ロイド》.ジョージの舌先三寸でかすめ取ったものであって、実力の伴ったものではなかったため、さしものイギリスも「ヨーロッパ圏に限定されたPax Britannica」を死守するのがやっとでした。

そこでウィルソンの退陣後、新たに大統領となったW《ウオレン》.ハーディングは、もはや大英帝国の威光が届かなくなった東アジア・太平洋地域におけるPax Americanaを実現するべく、１９２１年、ワシントン会議を開催します。

ワシントン会議後の各国領土

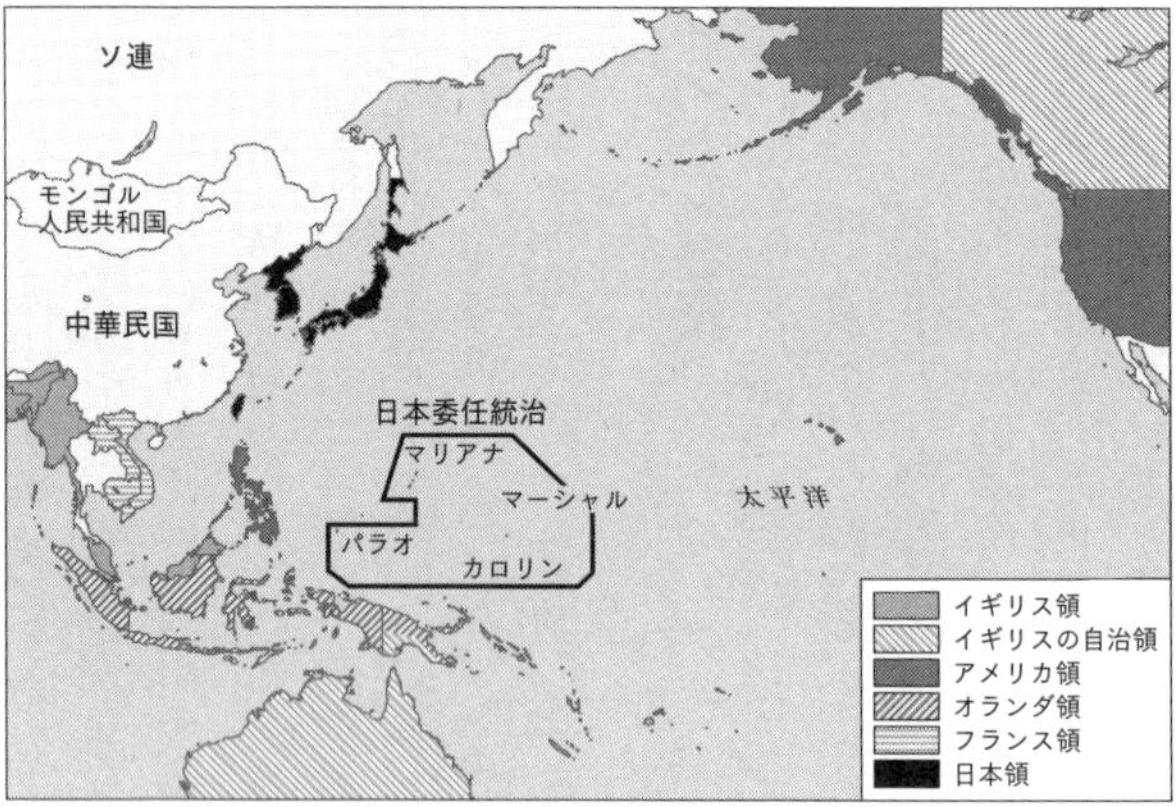

まずは、米・英・仏・日の4ヶ国で「四国条約」が締結されました。

ここに至るまでに、アメリカはすでに太平洋地域から東アジアを望んでいましたが、日本がその障壁となりつつあったことはすでに述べました（289ページ）。

日露戦争以降、アメリカは日本を持て余すようになっていたので、これを抑え込む必要が生まれます。

そこで、大戦中に日本がドイツから勝ち取った太平洋の諸島（マリアナ諸島(*43)・マーシャル諸島・カロリン諸島・パラオ諸島）を日本領と認める代わりに、日本にも米英仏の太平洋植民地を認めさせます。

地図をご覧いただければ一目瞭然、この「相互承認」によって日本は、太平洋地域において米英に包囲される形となったため、太平洋における発展性を失うことになります。

表面的には日本に「(過去の支配は)認める」としておきながら、実質的には「(これ以上の発展は)認めない」という意味であり、ここにも白人外交の巧みさが顕れています。

以後、太平洋への発展性を失った日本は、踵《きびす》を返し、満州そして中国へとその矛先を変えていく、きっかけともなりました。

また、米英で協力して日本を封じ込めるために邪魔となったのが日英同盟です。

そもそも日英同盟は「帝政ロシアを仮想敵国とする軍事同盟」でしたから、ロシア革命によって帝政ロシアなき今、イギリスにとって日英同盟の存続意義はなく、ここで一方的に破棄されます。

翌年の「九国条約」では、東アジア世界における新国際秩序の構築が行われました。

その際、戦時中(1917年)に日米間で締結されていた「石井《いしい》ランシング協定」で、アメリカは日本の山東《シャントン》権益を認めていましたが、これも破棄されます。

さらに「五国条約(ワシントン海軍軍縮条約)」では、主力艦の保有比率について取り決められ、米5:英5:日3:仏1・67:伊1・67とされました。

(＊43)　ただし、グァムは除く。グァムは米西戦争以来、アメリカ領。

これでは太平洋で海戦となったとき、米英はタッグを組むに決まっており、10：3では日本に勝ち目はありません。

こうして、四国条約・九国条約・五国条約のすべてが「日本の封じ込め」を意図しており、窮鼠《きゆうそ》猫を嚙む、追い詰められた日本がやがて暴走していくきっかけを自ら造っていくことになります。

黄金の20年代

ところで、第一次世界大戦が終わってからの10年間、アメリカは「黄金の20年代《ゴールデントゥエンティーズ》」とも「狂騒の20年代《ローリングトゥエンティーズ》」とも呼ばれる時代に入り、アメリカ全史を通じて絶頂期と言ってよい時代となります。

アメリカは戦中に英仏に莫大な債権を持ったことで、債務国から債権国に生まれ変わり、アメリカ経済は世界中の富が結集したかと思えるような空前の活況を呈します。

実際、全世界の金保有量の40％までを合衆国が1ヶ国で保有し、当時急速に普及しつつあった自動車の所有率に至っては、全世界の80％までをアメリカが所有していました。

自動車の大量生産がその雇用と、これに付随する鉄鋼・ゴム・石油・ガラスなどの産業を押し上げ、さらには道路交通網の整備も盛んとなり、建設業も活況を呈します。

従来のような鉄道では住宅地も鉄道沿線に限られましたが、自動車所有が「一家に一台」が当たり前の社会になれば、自動車通勤が可能になるため宅地用地は広がり、住宅建設も盛んとなります。

そうしてつぎつぎと建てられる住宅には、当時最先端の家電、すなわち電気洗濯機・電気掃除機・ラジオなど〝三種の神器〟の導入が進みます。

こうした大量消費に支えられて大量生産が全産業分野に広がっていき、さらなる消費促進のため、広告が工夫され、月賦《ローン》が導入されます。

こうして「現代」とよく似た生活様式は、１９２０年代のアメリカに生まれたのです。

１９１９～29年まで10年にもわたって株は上がりつづけ、この時期に株を買うことは、当たりと分かっている馬券を買うようなもので、株式の仕組みも資本主義のシステムも何も分かっていないような者まで、猫も杓子《しやくし》も株を求めるようになります。

「狂騒」のその裏で

しかし。

こうした〝表向きの繁栄〟も、実体の伴ったものとは言えませんでした。

我々はもうすでに何度も何度も見てきました。

――殷富は富の偏在を促し、富の偏在は秩序を破壊する。(＊44)

このときのアメリカもまた例外ではなく、世界中から集まった莫大な富は、一部の人間だけが独占し、貧富の差は年々ひろがる一方。

全世帯の60％は貧困層（1家庭の年収が2000ドル以下）となり、上からわずか0・1％の富裕層が全所得の20％以上を、上から10％までの富裕層が全所得の50％近くもの所得を独占していました。

貧しい者は満足にモノも買うことができない一方で、富める者はその莫大な富を消費しきれず、持て余して投資に回す。

アメリカ人が浮かれていた「繁栄」の真の姿は、そうした投資が異常な株価の高騰をもたらしただけで、実体の伴わない「空虚な繁栄」にすぎなかったのですから、破滅がやってくるのは時間の問題でした。

しかし、こうした上辺だけの繁栄に心を奪われて、ひたひたと近づく〝破滅の跫音《あしおと》〟に気づくことができる者はほとんどいないものです。(＊45)

世界大恐慌

そして、「それ」は静かに牙を剝きます。

１９２９年10月24日10時25分。

それまで下がることを知らなかったＧＭ《ゼネラルモーターズ》(＊46)の株価がわずかに80¢《セント》ばかり下落。

1$《ドル》にも満たない、そのたった「80¢《セント》」がきっかけとなって、そこから株価は底なしの大暴落を始め、たちまち「世界大恐慌」となって全世界を襲うことになります。

このときの合衆国大統領がＨ《ハーバート》．フーヴァー。

彼は、そのわずか半年前の所信演説で、

――我々の未来は希望に満ちている！

我がアメリカ合衆国は永遠に繁栄しつづけるであろう！

……と高らかに宣言していましたが、そのわずか半年後にそれは起こりました。

しかし、フーヴァーは頑強に「現実」を認めようとせず、「何も心配する必要はない！」「繁栄はすぐそばまで来ている！」「経済的諸条件は根本的に健全である！」と叫びつづ

（＊44）「歴史法則05」殷富［富み栄えること］は富の偏在を促し、富の偏在は秩序を破壊する。

（＊45）日本のバブルの絶頂においても、その〝狂騒〟の中で、破滅の跫音を聞くことができる者はほとんどいませんでした。

（＊46）アメリカを代表する有名な自動車メーカー。ちょうどこのころからフォード・クライスラーと合わせて「ビッグスリー」と呼ばれるようになっています。

け、果ては、「我が国に飢えている者などいない！　浮浪者ですら腹いっぱい食らっているのだ！」などと放言する始末。

こうして彼は、なんら有効な経済策を取らなかったため、フーヴァーが大統領であった4年間、アメリカ経済は悪化の一途を辿り、資本主義の矛盾が噴出し、農村では過剰生産された莫大な農作物が腐るままに放置され、家畜は何千頭何万頭と殺されていく中で、町では餓死者が横たわるという凄惨な状況になっていきます。

アメリカの独善

最後まで無策に終わったフーヴァー大統領に代わって、1933年、国民の期待を一身に担って登場したのが、F《フランクリン》・ルーズヴェルトです。

彼は、国内においては「ニューディール政策」を叫び、農業調整法（AAA）、全国産業復興法（NIRA）、テネシー川流域開発公社（TVA）など、つぎつぎと統制経済政策(*47)を施行する一方で、対外的にはブロック経済をはじめます。

じつはこの年、イギリスが声を上げていました。

――この未曾有の苦境を乗り越えるためには、各国がバラバラに動いたのではダメだ！　世界各国が経済協力する他、これを乗り切る術《すべ》はない！

こうして1933年、イギリスの提唱で世界64ヶ国が結集して「世界経済会議」が開催されました。

さすがについこの間まで世界を牽引してきたイギリスだけあり、すでに衰えたりと言えども「世界のリーダー」たる矜持《きょうじ》を示しましたが、そうはいっても、この会議の成功・失敗の要《かなめ》は、アメリカです。

何といっても実力において断トツNo.1のアメリカの全面的協力なくして、会議の成功はあり得ないためです。

ところが、このときのアメリカは、No.1の実力があっても「世界を牽引するリーダー」としての自覚がまだありませんでした。

そのため、世界全体のことより自国の利害ばかりを主張し、会議は決裂に終わります。

——アメリカは世界を見棄てた！

アメリカには世界を導き、牽引する意志がないということが、この会議で明らかとなった！

（＊47）アメリカ人は徹底的に「自由」を重んずる民族性なので、こうした「統制」には反発・批判も強いものがありました。

ならば、もはや自分たちのことは自分たちで解決していく以外にない！

こうして、〝持てる国〟はすでに生まれつつあった「ブロック経済」へとひた走っていくことになります。

「ブロック経済」とは、自国と経済関係の深い国や地域（植民地）でブロックを組み、このブロック内では関税を安くし、ブロック外から入ってくる貿易品には極めて高い関税をかけるというもので、これによりブロック内での「内需」を拡大させて恐慌を乗り切ろうとするものです。

イギリスは「スターリング・ブロック」、フランスは「フラン・ブロック」、そしてアメリカは「ドル・ブロック」をかけます。

しかしこれは、そのブロック内だけで生活に必要な物資がすべて手に入るほどの莫大な国内資源や植民地（生存圏）を保有している「持てる国」にのみ可能な技であると同時に、このブロックから弾きだされた「持たざる国」の国民は餓死するしかない、というまったく他国を排除したやり方です。

アメリカ経済が絶頂だったついこの間、アメリカは関税を「悪」と決めつけ、自由貿易こそが「正義」だと宣《のたも》うた、その舌の根も乾かぬうちに自ら高関税をかけ、他国を排除してきたのです。

アメリカの偽善の〝化けの皮〟はかくもあっけなく剝がれたのでした。

追い詰められた日独伊

「持てる国」はブロック経済でこの危機を凌ぐことはできたかもしれませんが、これでは「持たざる国」は亡びゆくしかない。

世界の経済バランスを引っかき回して世界中の富を掻き集め、さんざん贅《ぜい》の限りを貪っておきながら、その結果、財政が破綻すると、殻《ブロック》に閉じこもって「知らぬ存ぜぬ」で、その責を弱い国に押し付ける。

それがブロック経済の真の姿です。

さんざん好き勝手されたうえにブロックから弾かれた「持たざる国」は、自分が生き残るため、自らも「生存圏」を創り出すしか道はありません。

こうして、ドイツが創ろうとした生存圏が「レーベンスラウム」であり、日本が創ろうとした生存圏が「大東亜共栄圏」です。

そうなれば、「持てる国」と「持たざる国」がぶつかります。

第二次世界大戦とは、これが具現化したものにすぎません。

戦争責任

こうして、ちゃんと歴史を紐解き、第二次世界大戦が起こった原因を辿っていけば、その諸悪の根源がアメリカであることは明白です。

しかし、さきにも触れましたように、アメリカはこうした自ら犯した悪虐非道をひた隠しにし、その責任を他国に押し付けて自らを正義の位置にすり替える喧伝《プロパガンダ》が抜群にうまい（286ページ）。

■歴史法則35■
歴史は「勝者」によって紡がれる。
勝者は自分の犯した悪虐非道のすべてを「敗者」に押し付ける。

そして、いつの世も、歴史に無知な大衆は、こうした「勝者」の喧伝《プロパガンダ》に驚くほどカンタンに騙されます。

こうして戦後、ドイツや日本の行ったことが「第二次世界大戦を引き起こした元凶」として戦勝諸国によって喧伝され、これに洗脳された者たちからは現在に至るまで非難の的となっています。

では、いったいドイツは、日本はどうすればよかったのでしょうか。

座して餓死するのを待てばよかったのでしょうか。

ドイツが「マルク・ブロック」、日本が「円ブロック」を創ろうとしたのは悪なのに、唯一世界を牽引する潜在力を持っていたアメリカが「ドル・ブロック」を創り、世界を喰いモノにして保身を図ったことは「正義」なのでしょうか。

我々は歴史から紡ぎ出した、あの法則を思い出さなければなりません。

――ホンモノの悪党というのは善人ヅラしている。(＊48)

我々は正しい歴史を学び、そうした悪党の〝仮面〟を剝ぎ取る洞察眼を身に付けなければなりません。

さもなくば、〝善人〟の舌先三寸に簡単に言いくるめられ、我が身を傷つけ、血まみれになりながら悦に入る憐れな道化《ピエロ》と成り下がりますが、残念ながら現代の日本人はそうした「道化《ピエロ》」ばかりです。

こうした道化《ピエロ》を見ながら、〝善人〟たちは舌を出し腹を抱えて笑っていることにも気づくことなく。


（＊48）「歴史法則15」

Pax Americana の実現

　ところで第一次世界大戦が起こったとき、ヨーロッパは荒廃し、「もう一度こんな大戦争を起こしたら、ヨーロッパは二度と立ち直れないだろう」と囁かれたことはすでに触れました（236ページ）。

　しかし、そのたった20年後、第二次世界大戦は第一次世界大戦など比較にならないほどの大規模で現実のものとなってしまいます。

　こうして、ヨーロッパの衰退は決定的となり、これに代わってアメリカが覇者として君臨する条件が整いました。

　人類の歴史に深いキズと心的外傷《トラウマ》を負わせることになったこの2つの世界大戦こそが、覇権の世代交代を促し、20世紀後半にPax Americanaを現出させたのです。

　アメリカは建国以来、まず「中立主義」を採ってヨーロッパの干渉を断つことで地盤を固めることに成功し、地盤の固まったあと、第3代大統領T.《トーマス》ジェファーソンのころには「大陸国家」を目指して西へ西へと拡大していきました。

　やがて北米大陸を制覇したアメリカは、それに飽くことなく、さらに西の太平洋を見据えます。

　そして、さらにその先にある環太平洋諸国を支配下に置こうとして日本とぶつかり、今回これを第二次世界大戦でねじ伏せたのです。

ここにおいて、孤立主義《モンロー》で提唱していた「西半球をアメリカの排他的な支配権に置く」という理想は達成されました。

アメリカは、ついに夢にまで見た「地球の半分」を手に入れたのです。

しかし。

すでに我々は学んできました。

――国内矛盾を対外膨張戦争で押さえ込んだ国は、つねに膨張しつづけることを余儀なくされる。(＊49)

まさに建国以来の「止まることを知らない膨張主義」「一見発展の一途を辿っているようにみえる拡大」はこれを象徴しています。

ローマが地中海に拡大の一途を辿っているとき、当時の人は誰もが「ローマの発展」として捉えたものです。

しかしその実態は、膨れあがる国内矛盾を抑えつけるためにぶくぶくと太るしか道がなかっただけでした。


（＊49）「歴史法則28」

そしてその先に待つものは、自分の体の重みを自分で支えられなくなって崩壊するだけです。

さらにこのこともすでに学んでまいりました。

――領域の拡大が臨界点に達したとき、一気に崩壊が始まる。(＊50)

――のちの崩壊の原因は、絶頂の只中で生まれる。(＊51)

ひとたび頂点に君臨した者の目の前には、〝下り〟の道しかありません。

人類悠久の歴史の中で、どんな大帝国も辿っていった道、アメリカだけが史上唯一の例外であろうはずもありません。

覇者としての地位を維持するためには、これを脅かす存在の出現を常時監視し、もしそのような存在が現れれば、たちまちのうちにこれを叩き潰さなければなりません。

そのためには世界中に軍を配備し、監視を怠ってはなりませんが、それはどんな大帝国の財政をも圧迫します。(＊52)

ローマ帝国も、大英帝国も、皆、肥大化する軍事費を支えきれなくなって財政破綻を起こしていきましたが、アメリカもまたこの轍《てつ》を踏むことになります。

その躓《つまず》きはヴェトナムからでした。

インドシナ戦争

１９４５年、第二次世界大戦が終わるとともに、ヴェトナムでは胡志明《ホーチミン》によって「ヴェトナム民主共和国」の独立宣言が発せられます。

しかし、戦前の宗主国であったフランスがこれを認めず、保大《バオダイ》(＊53)を傀儡として「ヴェトナム国」を建国、ヴェトナムは南北で交戦状態に入ります。

もはや時代は「帝国主義」ではない、すでに「新しい段階」へと移り変わっており、帝国主義的な古い手法は通用しなくなってきていたのに、いまだ〝過去の栄光〟の夢から醒めやらぬフランスは、そのことにまったく気づくことなく、これを力ずくでねじ伏せようとしたのでした。

(＊50)「歴史法則10」
(＊51)「歴史法則33」
(＊52)「歴史法則21」経済大国は軍事大国とならざるを得ないが、軍事費は財政を蝕む。
(＊53)ヴェトナム最後の王朝・阮《げん》朝の第13代国王。ただし、第9代同慶帝《どうけいてい》以降は実権を持たないフランスの傀儡。

す。

■歴史法則36■
すべての時代は、その時代ごとの「前提条件」に支えられて成立しているため、条件が変われば時代も変わらざるを得ない。

帝国主義が「帝国主義」として成立し得たのは、以下のような前提条件があったからです。

・第一に、欧米列強だけが国民国家と産業革命に支えられた近代兵器を保有し、ＡＡ圏（アジア・アフリカ文化圏）が前近代的な兵器しか持っていなかったこと。
・第二に、欧米列強がどれほどの蛮行を行っても、まだマスコミが未熟でその情報を握りつぶすことができたこと。
・第三に、ＡＡ圏の人たちが「白人の軍隊は無敵」だという迷妄に囚われてしまっていたこと。

戦う前から「勝てっこない」という想いに囚われている者は、たとえ勝てる実力を持っていても勝てません。

しかし、太平洋戦争において、アジアの人々は目の当たりにします。

「無敵だと思っていた白人の軍隊」が「同じ肌の色をした日本軍」に瞬く間に駆逐されていく姿を。

――我々は劣等民族なんかじゃなかったのだ！

我々と同じ肌の色をした日本人が白人を駆逐していったではないか！

これにより「白人軍隊への先入観《バイアス》」が外れ、戦後、アジアの人々がぞくぞくと立ちあがる契機となり（＊54）、ヴェトナムの独立宣言もその一環でした。

ひとたび反抗の火が上がれば、もはや白人の世界支配が崩れるのも時間の問題となります。

すでに20世紀半ばともなれば、アジアでも白人と同じ近代兵器を持つようになっていましたし、多少の兵器の優劣はあっても、それは地の利を活かせば充分勝算が出てきます。

しかもこのころになると、徐々にマスコミの力が強くなり、政府の情報管制が難しくな

（＊54）これがＡＡ圏の中で、アフリカよりアジアの方が先に独立が進んだ理由のうちのひとつになります。アフリカの人々は、白人の軍隊が駆逐されていく様を見ていないため、その分独立が遅れることになります。

ってきていたため、欧米列強が植民地においてどれほどの悪虐と非道の限りを尽くしてきたかが白日の下に曝《さら》されるようになり、従来のような残忍な殺戮・虐殺によって反抗を強引に押さえつけるという手法もやりにくくなっていきます。

フランスは、こうした時代の変化も読み取れず、帝国主義時代さながらの古いやり方でヴェトナムを支配下に置こうとしたのですから、うまくいかないのは当然でした。

敗走を重ねたフランスは、ついに1954年ディエンビエンフーの戦いで敗れたのを機に撤退を決意します。

アメリカの介入

こうして、フランスが自ら「時代は変わった」「帝国主義的な強引なやり方はもう通用しなくなった」ということを示してくれたにもかかわらず、アメリカはこれをまったく理解できませんでした。

魚が水の中でしか生きられないように、リスが森の中でしか生きられないように、帝国主義時代において覇を唱えたアメリカもまた、帝国主義時代の中でしか生きることができないのです。

■歴史法則37■

「国家の特性」が「その時代の特性」とピッタリと符合した国でなければ、その時代の覇者になることはできない。

したがって、時代が移り変わり、その性質が変化したとき、旧時代の覇者は新時代の特性と合わなくなるため、衰亡せざるを得ない。


帝国主義の中でのし上がってきたアメリカは、時代が移り変わっても、古い帝国主義的な政策しかできず、衰滅していく宿命にあるのです。

しかしそれを認識できている人は少ない。

幕末に生きた武士が、民主主義《デモクラシー》という概念も、まもなく幕府が潰《つい》えていく運命にあることも、どうしても理解できなかったのと同じように。

傀儡《かいらい》政権の失敗

アメリカがヴェトナムに介入したやり方はフランスとまったく同じものでした。

適当な傀儡（呉廷琰《ゴディンディエム》）(*55)を擁立して傀儡政権（ヴェトナム共和国）を建て、これを後方支援することで北ヴェトナム（胡志明《ホーチミン》）と対決していく、という帝国主義的なやり方です。

しかし、傀儡として選んだ呉廷琰《ゴディンディエム》という人物が、私腹を肥やすことしか頭にないような輩で、国民から憎まれ、国内から北に協力する者（ベトコン）が続出する有様。

――呉廷琰《ゴディンディエム》政権は内から崩壊している！

このままでは我が国《アメリカ》がどれほど武器と資金の援助をしようが、

早晩、南は倒れてしまうだろう！

そこでアメリカは、早々に呉廷琰《ゴディンディエム》を見棄て、「直接介入」することを決意します。

しかし、すでに見てまいりましたように、アメリカという国は良きにつけ悪しきにつけ徹底した民主国家ですから、開戦するためには、国民が納得するだけの戦争口実が絶対的に必要となります（294ページ）。

そのためなら、多くの国民の命を犠牲にすることも厭わない。

日本との開戦を望んだときには、真珠湾《パールハーバー》の海軍を見殺しにしてまで戦争口実を演出したものです。(*56)

しかし、そもそもそれ以前に、口実の片鱗すらない場合はどうするのか。

［アメリカの開戦手続②］
アメリカは、戦争口実がなければこれを躊躇《ためら》いなく捏造《ねつぞう》する。

当時、アメリカとヴェトナムには戦争口実になりそうなものはまったくありませんでした。

そこで、今回は「存在もしない事件を捏造」することにします。

1964年8月4日、アメリカは駆逐艦を北ヴェトナム海域に侵入させ、「北ヴェトナム海軍から奇襲攻撃を受けた！」と発表し、国民世論を煽ります(＊57)。

しかしこれは「まったくの捏造」だということがのちに曝露されましたが、そんなこと

（＊55）阮朝の元内相。
（＊56）もっとも現在に至るまでホワイトハウスはこれを認めていません。ひとたび認めてしまえば、太平洋戦争はすべてアメリカの演出により開戦に至ったことになり、アメリカの「悪の帝国」ぶりが白日の下にさらけ出されてしまうためです。
（＊57）第二次トンキン湾事件。この2日前に「第一次」が起きていますが、これは戦闘にも数えられないような小規模な小競り合いでした。

はお構いなしに、翌65年、北ヴェトナムへの大空襲（北爆）を開始、いよいよアメリカ軍による直接介入を始めます。

ついこの間、東アジアから太平洋に至るまでを支配していた「大日本帝国」を完膚なきまでに叩きつぶした、世界最強のアメリカ軍が本腰を入れたのです。

それに比べれば「見苦しい四流国家」(*58)のヴェトナムごとき、赤子の手をひねるよりカンタン！

アメリカはそうタカを括《くく》っていました。

――日本を叩いたのと同じ手で、大空襲をかけてやればすぐに終わる。

しかし。

何度もいうように、もう「時代が違う」のです。

日本を倒したときからまだたったの20年しか経っていませんでしたが、すでに時代は大きくうねり、もはや「帝国主義的手法」は通用しなくなってきていたのですが、日本を倒した〝成功体験〟の余韻にどっぷりと浸かっていたアメリカには、このことがまったく理解できていませんでした。

> 〔アメリカ衰退の原因〕
> 古い時代の成功体験に囚われて、時代の移り変わりがまったく読めず、古い時代の戦法に固執した。

過去の成功体験が、未来の足をすくう[＊59]ということはよくあることです。

地獄絵図と化した戦争

まずアメリカは戦闘爆撃機（F－100／105など）による空襲を行うと同時に、20万という大量の地上部隊を投入します。

空と陸の連携を以て迅速に攻めたてる様は、かの電撃戦を彷彿とさせるような戦いぶりで、アメリカ軍の〝本気度〟を感じさせるものでしたが、ところが、思いの外、効果が上がりません。

（＊58）L《リンドン》・B《ベインズ》・ジョンソンの言。
（＊59）「歴史法則16」その国の成立・発展の礎となったものが、その国の衰退・滅亡の原因となっていく。

空襲といっても、ヴェトナムは日本と違ってほとんどが密林《ジャングル》と水田の国です。

そこに雨あられと爆弾を投下してもしょうがありませんから、軍事拠点などを狙いたいところですが、当時重要な軍事拠点にはソ連の軍事顧問が駐留しており、ここを空襲することで米ソの全面戦争に発展することを懸念したアメリカ軍の空襲は極めて限定的にならざるを得ませんでした。

しかしこれでは、ほとんど効果がないどころか、逆に反撃を受けてこちらが大きな損害を出す始末。

さらに地上部隊では、自慢の機械化部隊や特殊部隊も罠《トラップ》だらけの密林《ジャングル》の中ではゲリラの餌食。

罠《トラップ》には人糞が塗りたくられており、米兵は戦う前に罠《トラップ》にかかってベトコンの糞《くそ》まみれになってバタバタと死んでいく。

米兵は慟哭《どうこく》します。

――戦争だから敵兵に殺されるのは仕方がない。

だが、戦う前からベトコンの糞まみれになって野垂れ死ぬのは堪えられない！

そのうえ、戦中にアメリカ制式銃となった新型突撃銃《アサルトライフル》（M16）は当初故障《ジャム》を多発して、いざベトコンと遭遇したときに弾が出ず、むざむざ蜂の巣にされることも珍しくない有様。

あまりのストレスと恐怖で、動くものがあれば無差別に銃を乱射し、村でも発見しようものなら、ここぞとばかり女を犯し、赤子・老人の区別なく惨殺し、皮を剝ぎ、これを〝戦利品〟と称して持ち帰る。(＊60)

大義なき戦争は、もはや「地獄絵図」そのものとなっていきます。

しかし。

勝敗を決めた「世論」

そこで、地上部隊の侵攻を阻む元凶は密林《ジャングル》だと、ナパーム弾（焼夷弾）を撃ち込み、大量（8万5000キロリットル）の枯葉剤を散布するとともに、67年からは本格的に重爆撃機（B－52）を投入して無差別爆撃に入ります。

（＊60）この戦争には、SEATO（東南アジア条約機構）軍、韓国軍も参戦しており、韓国軍も米兵と一緒になって無抵抗のヴェトナム民間人に対して虐殺・強姦の限りを尽くしています。現在口を開けば、慰安婦問題をでっち上げて「歴史を直視せよ！」と繰り返し日本を責めたてる韓国ですが、このときの虐殺・強姦については目を背け、固く口を閉ざしつづけています。「歴史を直視」しなければいけないのはいったいどちらでしょうか。

これが19世紀の帝国主義時代まっただ中なら、これでヴェトナムは屈したことでしょうが、何度も申し上げておりますように、こうした「力ずく」はもう通用しない時代となっていました（244ページ）。

もはや戦争の勝敗を決めるのは「武力」ではなく、「世論」を味方につけた方が勝つ時代となっていたのです。

北ヴェトナム側は、甚大な人的物的被害を出しながらも、ソ連や中国からの支援を受けつつ頑強に抵抗をつづけるとともに、アメリカ軍の蛮行を全世界に訴えます。

じつは、ヴェトナム戦争は「戦地の映像がリアルタイムで全世界に報道された初めての戦争」でした。

アメリカ陣営による、戦闘に関係のない女子供など民間人への凄惨な虐殺・強姦事件が世界に伝わると、アメリカ陣営は国際非難の的となると同時に、アメリカ国民の間にも動揺が走ります。

ぞくぞくと帰還する兵は戦争の悲惨さを訴え、また発狂した者、麻薬《ジャンキー》漬けになっている者があとを絶ちません。

アメリカ国民の間に猛烈な反戦運動が起こりはじめます。

アメリカは、国民の支持なくして戦争はつづけられません。

単純に戦死者・不明者だけを比較すれば、アメリカ軍6万[*61]に対して、北ヴェトナム側は170万以上、加えて戦争に巻き込まれて殺された北ヴェトナムの民間人の数は300万にのぼり、その人的被害の大きさだけを見れば、北ヴェトナムの完敗ですが、国際世論を味方につけた結果、世界的に反戦ムードが高まり、1973年、ついにアメリカは撤退を余儀なくされます。

アメリカの終わりの始まり

こたびのヴェトナム戦争は、アメリカ合衆国にとって建国以来「初の敗戦」となりました。

ただの「1敗」ではありません。

「無敗だった者が一敗地にまみれる」というのはたいへん重要な意味をもつことなのです。

(*61) SEATO軍、韓国軍も含めたアメリカ陣営全体なら25万ほど。

■歴史法則38■
不敗は「権威」を育み、権威は支配を容易にする。
しかし、一度でも傷ついた権威は二度と元に戻ることはない。

イギリスの章でも触れましたように、〝ユーラシア大陸の辺境にあるヨーロッパ半島《ペニンシュラ》〟にひしめきあう小国群(＊62)が、世界を制することができたのも、当初「不敗神話」があったからです。

――白人列強の軍は、有色人種の軍などに絶対に負けない！

この不敗神話が、アジアの人々に反抗心を失わせ、ヨーロッパによる植民支配を容易にしたのです。

しかし、ひとたびそれが傷ついたときが支配体制の崩壊を意味します。

太平洋戦争において、日本軍がつぎつぎとイギリス軍を駆逐していったとき、その戦況報告を聞いたチャーチル首相は天を仰いで嘆いたといいます。

――嗚呼！

これでもはや、大英帝国は極東において二度と存立し得ないであろう！

我が軍がアジア人に惨敗し、敗走する様をアジア人が見てしまったのだから！

この言葉は、チャーチルが「一度傷ついた権威は二度と恢復《かいふく》しない」ということをよく理解していたことを表しています。

中には、「いや、アメリカは手を引いただけで負けたわけではない！」と強弁する者もいますが、詭弁です。

戦争の勝敗は「戦争目的を達したか否か」。

北ヴェトナムの戦争目的は「アメリカ侵掠軍の撃退」。

アメリカの戦争目的は「北ヴェトナムの抹殺」。

北ヴェトナムは目的を達し、アメリカは達せられなかった。

完膚なきまでのアメリカの完敗です。

しかもアメリカは、本土が戦場となって焦土と化すことこそなかったものの、無傷で済んだわけですらありません。

無傷でないどころか、深い傷を負いました。

（＊62）　何かと「極東の島国」と小バカにされる日本ですが、ヨーロッパの国の中で日本より面積の大きい国は、（ロシア圏を除けば）フランス・スペイン・スウェーデンくらいのものです。

アメリカがこの戦争で使用した火薬量だけを見ても「第二次世界大戦で全交戦国が使用した量」の2・7倍もの火薬が投入され、莫大な戦費（7380億$《ドル》）が費やされ、世界を圧倒していたアメリカ財政をも傾かせます。

――経済大国は軍事大国とならざるを得ないが、軍事費は財政を蝕む。(*63)

さらに、こうして、ヴェトナム戦争をはじめとする冷戦構造に起因した軍事費の圧迫により、アメリカは政治的・経済的に揺らぐ中、これとは相対的に、西側諸国では戦後復興が急速に進んでいきました。

日本では「岩戸景気」「いざなぎ景気」、西ドイツでは「奇蹟の復興」などと呼ばれる高度経済成長期に入り、これに伴ってアメリカ経済は不景気とインフレが併存するスタグフレーションに陥って、ついに1971年、アメリカの貿易収支が80年ぶりに赤字に転落します。

アメリカの信用によって支えられていたドルの信用はガタ落ちとなり、世界中でドル売りが殺到、戦後の固定相場制（ブレトンウッズ体制）ではアメリカ政府が保有していた金《ゴールド》が垂れ流しとなってしまうため、アメリカは突如「ドルと金の交換停止」を宣言し、変動相場制へと移行させますが、これは、アメリカによる世界金融支配「ブレトンウッズ体制」が崩壊したことを意味しました。

弱り目に祟り目。

73年には、第四次中東戦争の勃発に伴い、石油戦略が発動され、ＯＰＥＣ（石油輸出国機構）は石油価格の大幅引き上げ、ＯＡＰＥＣ（アラブ石油輸出国機構）が親イスラエル諸国への石油輸出禁止を実行したため、アメリカ経済は大混乱に陥ります。

アッという間に原油価格は４・５倍にも跳ね上がり、アメリカ経済を牽引してきた自動車産業が深刻な不況に陥ったため、これに引きずられるようにして、アメリカ経済は恐慌状態になっていきました。

多極化

アメリカの弱体化に伴って、外交面では、フランス（ド・ゴール政権）をはじめとして、ヨーロッパ諸国がアメリカに追随しない態度を明確にし、アメリカを極（頂点）とする支配体制が揺らぎはじめます。

時を同じうして、東側陣営でもスターリンの死（１９５３年）を契機として、徐々に中国・東欧がソ連に反発しはじめ、さらに東側でも西側でもない、イスラームを中心とした

（＊63）「歴史法則21」

「第三勢力」も力を蓄え、時代は「米ソの二大帝国が世界を牽引する二極構造」から、急速に「多極化」へと指向していくことになります。

再び「強いアメリカ」を目指す

こうして、戦後20年の黄金時代を経て、70年代は「落ち目」「ジリ貧」となっていったアメリカですが、1980年の大統領選で「強いアメリカ」を掲げて、アメリカ国民の期待を一身に背負って登場したのがレーガン大統領です。(*64)

彼は、対外的にはソ連を名指しして「悪の帝国《エヴィルエンパイア》」と呼んで煽り、軍拡を実施し、ヨーロッパにソ連に向けた中距離核ミサイルを配備し、のみならず、宇宙空間からソ連のミサイルを撃ち落とすというSF的な軍事システム「SDI構想（スター・ウォーズ計画）」を掲げます。

また、力をつけつつあった第三世界にも積極的に介入し、グレナダ侵攻（83年）、リビア爆撃（86年）、イラン・イラク戦争（80～88年）への武器支援と、積極的に軍事行動を行います。

これはヴェトナム戦争で失った軍事的権威を再構築すると同時に、軍事支出の拡大を国内経済の刺激剤として経済的にも強化を図ることで、軍事的にも経済的にも「強いアメリカ」の再現を図ろうとしたものでした。

しかし。

すでにさんざん学んでまいりましたように、「外敵を設定してこれを煽って内なる分解を抑えて対外的に膨張政策を遂行する」というやり方は、古くから使い古されたもので、しかもほとんどの場合、すでに「亡国への一本道に入った国」がただ延命のために行う政策です。

病人で喩えるなら、もはや手の施しようがなく死を待つばかりの病人に「生命維持装置」を取りつける行為に相当します。

短絡的には改善されたようにみえますが、大局的には滅亡を決定づけるもので、うまくいった例《ためし》がないものです。

ローマ帝国を思い出してみてください。

ローマ帝国もまた、傍から見ている分には、ものすごい勢いで地中海沿岸に沿って拡大しつづけ、「大帝国」としてその偉容を誇っているようにみえましたが、じつのところ、

（＊64）　大統領選挙における選挙人の獲得数ではレーガン「489人」に対して、カーター「49人」という10倍の差をつけての歴史的圧勝でした。

内情は収拾がつかない混乱にありました。

そして、膨張政策自体がその身を亡ぼしていく元凶となっていったのです。

アメリカは、歴史に学ぶことなく、その轍を踏んだのです。

案の定というべきか、レーガンの思惑は外れ、アメリカ経済は莫大な貿易赤字に加え、財政赤字をも抱え込むようになり、これは「双子の赤字」と呼ばれ、アメリカを苦しめるようになります。

今日まで続くアメリカの失態

こうして時代は急速に移り変わっているというのに、アメリカ（レーガン大統領）はその自覚なく、帝国主義的な旧態依然とした軍事介入を各地でつづけ、イラン・イラク戦争では、イラクを支援して莫大な兵器を与えつづけます。

その結果、戦後イラクを中東第1位の軍事大国に押し上げてしまい、今度はイラクの暴走を抑えきれなくなります。

これが次のG.H.《ジョージハーバート》ブッシュ（父）大統領の代になって「湾岸戦争（1990～91年）」という形になって帰結したのです。

さっきまでイラクを支援していたアメリカが、今度はそのイラクを叩く！

このように、その場かぎりの利害であっちに付いたかと思えば、今度はこっちに付き、さんざん中東世界を引っかき回す中で、「中東世界がこれほど混迷をつづけているのは、すべてアメリカが諸悪の根源！」と怒りを露わにする集団が育ってきました。

それこそが、ウサマ・ビン・ラーディン率いる「アルカーイダ」です。

つまり、反米のイラクを育てたのも、アルカーイダを育てたのも、当のアメリカ自身なのです。

新世紀を告げる鯨波《げいは》の第一声

２００１年９月11日。

そのわずか半年ほど前、クリントン前大統領に代わって新たにホワイトハウスの主となったばかりの新大統領、G.《ジョージ》W.《ウォーカー》ブッシュ（子）の耳に「同時多発テロ」の報告が届きました。

こうして21世紀は「テロ」とともに幕を開けます。

しかしこれは、「テロ」といってもこれまでのテロとはまったく異質なものでした。

憎《に》っくきアメリカ人を乗せた旅客機を、アメリカ経済の象徴である世界貿易《ワールドトレード》センタービルにぶつけるという、前代未聞のテロです。

ホワイトハウスはここぞとばかり同時多発テロの映像を繰り返し流させ、イスラームの非道を喧伝し、また世界中の人々もこのショッキングな映像に恐れおののき、「卑怯な！」「汚い手を！」「おそろしいやつらだ！」とイスラームを敵視したものです。

しかし。

もう時代は変わっているのです。

古い時代の価値観で新しい時代を評価することに意味はありません。(＊65)

20世紀は「第一次世界大戦」とともに幕を開け、人類は経験したことのない新しい戦争形態（総力戦）による戦禍を前にして、そのすさまじさに震撼したものです。

ところが、20世紀半ばには「原水爆」という新兵器によって、人類はもう一度、そのすさまじい破壊力を前に震撼することになります。

この新兵器の登場によって、人類の戦争形態はふたたび変質して「冷戦」という形態を取ることになりました。

そして21世紀。

今度は兵器テクノロジーの発達によって、戦争形態がさらにもう一段階すすみます。

それが「テロ」です。

つまり、21世紀からテロは「戦争」のひとつの形態となったのです。

したがって、戦争がそうであるように、21世紀型テロに「汚い」も「卑怯」もありません。

「対テロ戦争」では新時代に対応できない

このように、今までの常識を覆すような事件が起きるときというのは、時代が新しい時代へと大きく移り変わっているときです。

そして、ひとたび「新時代」が生まれると、古い時代の常識では想像もできなかった出来事が次から次へと起こるようになります。

もしアメリカが、21世紀の「新時代」も世界を牽引していくつもりがあるならば、「新時代」の価値観に則した新しい外交政策を遂行していかなければなりません。

さもなくば、歴史によって抹殺されるでしょう。

(＊65) 譬え話をすると、江戸時代の侍がタイムマシンで現代にやってきて「ちょんまげもゆっちょらんとはけしからん!」「礼儀作法も心得とらん者ばかりではないか!」と怒っているようなものです。時代が変われば、やり方も変わり、価値観も変わり、すべてが変わるのです。そんな古い時代の価値観を持ち込まれても、現代人は苦笑するばかりです。

――歴史の流れに逆らう者はかならず歴史によって屠られる。(*66)

ところが。

アメリカがこの「9・11」に対して行ったことは、帝国主義時代さながらの報復戦争でした。

「対テロ戦争」と称して、まずはアフガニスタンに侵攻し、ターリバーン政権を倒し、それが片づくか片づかないかのうちに北朝鮮・イラン・イラクを名指しして「悪の枢軸《エヴィルアクシス》」と罵り、対決姿勢を明らかにします。

こうして、証拠もないのに「イラクは大量破壊兵器を所有している!」と決めつけ、国連が制するのも振り切って、強引にイラクに戦争を仕掛ける。

これが「イラク戦争(2003~11年)」です。

アメリカはわずか1ヶ月のうちにイラクを制圧し、まもなく憎っくきイラク大統領S.《サッダーム》フセインを確保し、形式的な裁判(*67)にかけてこれを処刑します。

アフガニスタンのターリバーン政権を倒し、こたびイラクのフセイン政権を倒し、次なるリビアに睨みを利かせると、リビア(カダフィ)は膝を屈し、核兵器の開発を放棄することを約束しました。

つぎは、イランと北朝鮮。

Pax Americana の終焉

ここまでアメリカの軍事的成果は絶好調のように見えます。

しかし。

もう時代は変わり、とっくに帝国主義段階ではなくなっているというのに、こんな19世紀さながらの時代錯誤な帝国主義的政策がいつまでもつづくはずがありません。

イギリスの章でも、イギリスが「20世紀新時代」へと移り変わっていることにまったく気がつかずに、「19世紀式」の古いやり方に固執して衰亡していく様を見てきました。

アメリカはイギリスの失敗をそっくりそのまま辿っているのが分かります。

したがって、一時的にうまくいっているように見えても、遠からず足をすくわれる日がやってくるでしょう。

世の中を見わたせば、さまざまな統計やデータを恣意的に取り出して「Pax Americana はまだまだ21世紀もつづく！」とうそぶく者もたくさんいますが、筆者は断言します。

（＊66）「歴史法則17」

（＊67）フランス革命中の恐怖政治や東京裁判と同じで、被告の主張など最初からまったく聞くつもりはなく、判決は「死刑」と最初から決まっている形だけの〝儀式〟。

断じてアメリカに「未来」はありません。

20世紀前半がPax Britannica衰滅の時代であったように、21世紀前半もPax Americana衰滅の時代となるでしょう。

国際秩序の変化

では、次代《ネクステイジ》を担う覇者は誰でしょうか。

次に到来するのは、Pax Sinica《シニカ》（中国）でしょうか、Pax Indica《インディカ》（インド）でしょうか、Pax Europaea《エウロパエア》（ヨーロッパ）でしょうか、それともPax Japonica《ジャポニカ》（日本）でしょうか。

いいえ。

おそらくはそのどれでもないでしょう。

そこで、このことを考察するために、すこし歴史を振り返ってみます。

ヨーロッパの時代区分でいう「中世」のころまで、世界は各地域・各文化圏ごとに独立して歴史が展開し、これを乗り越えて影響し合うことは全体的に見て多くはなく、各地域・各文化圏は各個バラバラに歴史を歩んできました。

しかし、近世を過渡期として、それぞれの地域・文化圏の密着度が急速に高まっていき、近代以降は世界のどこかで起こった出来事がたちまち世界の隅々にまで影響を与えるようになっていきます。

これを歴史用語では「世界の一体化」とか「世界史的世界の展開」とか呼びますが、その密着度は現代に至るまで高まりつづけています。

こうした「もうひとつ大きな枠組み」が生まれたとき、その秩序を維持するために新しい「装置」が必要となってきます。

それが「国際秩序」という概念です。

もともとは17世紀の半ば、ヨーロッパ文化圏という小さな枠組みの中だけの〝秩序維持装置〟から始まりました。

「ヨーロッパ中の多くの国々が集まり、話し合った取り決めをお互い守ることを約し（ウェストファリア条約）、万一これを破る国が現れたら、皆でその国を袋叩きにすることで秩序を守る」というものです（ウェストファリア体制）。

しかしこの国際秩序は、ナポレオン戦争によってアッという間に崩壊するや、2番目の国際秩序（ウィーン体制）では「英・仏・普・墺・露の五大国による指導体制」を採りましたが、これもわずか30年余で崩壊します。

ウィーン体制崩壊後は、ビスマルクの奔走によって一時秩序が保たれました（ビスマルク体制）が、彼が失脚するやたちまち安定を失い、第一次世界大戦へと驀進《ばくしん》していきます。

戦後、3番目の国際秩序（ヴェルサイユ体制）では「米・英・仏の三大国による指導体制」を採りましたが、これもヒトラーが現れるや、第二次世界大戦が勃発して破壊されます。

そこで、4番目の国際秩序（ヤルタ体制）では「米ソ二大巨頭による指導体制」を採りましたが、これもソ連が自滅して終わりを遂げます。

こうして、ソ連亡きあと、世界秩序はアメリカ一国の双肩に委ねられることになったのです。

歴史を俯瞰してみる

このように歴史を大きく俯瞰してみると、ひとつの法則があることに気がつきます。

大戦争ののち新たな国際秩序が生まれるたびに、その指導国が「多」から始まって「5→3→2」とカウントダウンしていき、ついにアメリカ一国の双肩に委ねられることになっていることです。

しかしこれは、アメリカが実力で勝ち取ったというより、英仏がコケ、ソ連が自滅していった先に、消去法でアメリカが残ったにすぎず、このときすでに世界は多極化に向かっており、アメリカにその重責を担う力はありません。

「多」からはじまったものが徐々に数を減らしていき、ふたたび「多《ふりだし》」に戻った感じです。

ということは。

世界はふたたび大戦（第三次世界大戦）を経て、「五大国」による集団指導体制となっていくのでしょうか。

いえ。

これからの歴史は、今までとはまったく別の道を歩むことになるような気がします。

中華帝国の章で学んでまいりました。

「古代から唐までの歴史パターン（戦乱時代→短期政権→長期政権……の繰り返し）」は、「五代十国時代」の混迷期を挟んで、「宋から現代までの歴史パターン（漢民族王朝→異民族王朝……の繰り返し）」へとガラリと変わってしまった、と。

それと同じように、今我々が直面している国際情勢は、まさに「五代十国時代」で、しばらくの混迷混乱時代が明けたあとは、まったく違う歴史パターンの世界が開かれるような気がしてなりません。

民主制と君主制

ところで。

18世紀まで、アジア人は「民主主義」を知りませんでしたし、そんな概念もなければ言葉すらありませんでした。

そこへヨーロッパ人が土足で上がり込んできて物申します。

——お〜お〜、劣等民族とは憐れなものよのぉ！

こやつらは「民主主義」も知らんのか！

どれ、我々文明人がお前たちに民主主義のすばらしさを教えてやろう！

自民族の文化・価値観のみを絶対視し、異文化を相対的に見ることができないこと自体がすでに〝劣等〟ですが、こんな連中の戯言《たわごと》を当時のアジア人はマに受けてしまいます。

——そうだったのか！

民主主義こそが〝普遍的に正しい政治システム〟なのか！

我々は遅れていたのだ！

圧倒的軍事力でねじ伏せられたあとでこう言われては、そう思い込まされてしまったのもムリからぬところではありますが、しかし、中華帝国の章でも学んでまいりましたように、ヨーロッパで民主主義が発達したのは、彼らの生まれ育った環境が民主主義に適していたからにすぎませんし、アジアで専制君主が発達したのは、アジア人の生まれ育った環境が専制君主政治に適していたからにすぎません（123ページ）。

「民主制」と「君主制」どちらにも一長一短があり、単なる「適材適所」にすぎず、パズルで四角い穴には四角いピースを、丸い穴には丸いピースを塡《は》め込むだけのことで、どちらのピースがすぐれているとか、劣っているとか、まったく優劣がないのとおなじです。

ところが、周りを見渡せば、現代に至っても「民主主義は絶対正義！」と信じて疑わない人たちばかりであるのは、教育の恐ろしさを感じざるを得ません。

教育と洗脳は紙一重。

そしてタチが悪いのは、洗脳された者は自分が洗脳されているという自覚がまったくないことです。

そうした方にこうした説明をしても、論理的反論ではなく感情的拒絶反応を示すだけで、けっして理解してくれることはありません。

「時代」に合わなくなった君主制

それなのにどうして「民主主義の方がすぐれた政治システム」だと皆が思い込むようになってしまったのでしょうか。

それは多分に「時代」のせいです。

ヨーロッパでは近世に入ると、民主主義精神が「国民国家」を産み落としました。今でこそ、空気のように当たり前に存在している「国民国家」ですが、〝ほんのついこの間（数百年前）〟まで影も形もなかった、生まれたばかりの新しい国家形態なのです。

そしてこの国民国家が「総力戦（世界大戦）」を引き起こします。(＊68)

英相チャーチルは総力戦のおそろしさを予言していました。

──民主主義は大臣よりも執念深い。

「国民の戦争」は「国王の戦争」より恐ろしいものとなるだろう。

仏相ミッテランは言いました。

──国民国家、それ即ち戦争だ。

国民国家が戦争を起こすためには、どうしても国民を納得させなければなりません。

そのために政府が使う〝伝家の宝刀〟こそが「正義」です。

アメリカが戦争が近づくとかならず「正義」を掲げるのは、アメリカが客観的に正義だからではなく、無知蒙昧な国民を煽るためにすぎません。

国民は「正義のため」と信じて戦うのですから、断じて負けるわけにはいかなくなり、その先に最後の最後まで戦い抜く、戦えなくなっても戦うという悲惨な消耗戦（総力戦）

を生むことになるのです。

ところが、この「総力戦」は君主国家にははなはだ不向きです。

君主制では国民を煽動しにくいためです。

総力戦を二度立てつづけに経験することになる20世紀前半までに、つぎつぎと君主制国家が滅亡していったのはそのためであって、巷間勘違いされているように「君主制が間違ったシステムだから亡びた」のではありません。

単に「時代に合わなくなったから」にすぎません。

「時代」に合わなくなった民主制

そこで問題です。

では、「帝国主義時代を勝ち抜いた民主主義は、これからも永久に〝正しい政治システ

（＊68）あまり認知されていませんが、世界大戦が「総力戦」となって凄惨を極めたのは「民主主義に支えられた国民国家」だからです。君主国家は「総力戦」などという蛮行はけっしてやりません。いえ「できない」といった方が正確でしょうか。民主主義こそが「不必要に大量の人を殺す凄惨な戦争」を生み出したのです。

ム〟として繁栄しつづける」のでしょうか。

ありえないことです。

――どんなにすばらしい思想・教え・理念・制度もかならず古くなる。(＊69)

人類史開闢《かいびゃく》以来、古くならなかったものなど、ひとつもありません。

民主主義だけが例外であるはずもありません。

じつは、民主主義はすでに「時代遅れ」になりつつあります。

君主制が19世紀後半に新しく到来した「帝国主義」という時代に馴染めず消えていったように、民主主義も21世紀の新しい時代に馴染まなくなってきているのです。

近代から始まった「世界の一体化」は終わったわけではなく、現代でもますます加速していく一方の中、いよいよ「国境」という概念が希薄になってきています。

インターネットを中心として、膨大な情報が国境を乗り越えて世界中を駆け巡り、交錯する中で、日に日に政治・外交・経済・社会が複雑化し、とても一般大衆に理解できるような代物ではなくなってきました。

せいぜい新聞の見出しやテレビのコメンテーターの言葉を聞きかじり、それを無検証に鵜呑みにして、さもそれを「自分の考え」のように知ったかぶるのが精一杯です。

民主主義というのは「一般民衆に政治・経済・外交の決定権を与える」というものです。

複雑な国際関係というものもなく、敵味方が誰の目にもはっきりしていて、刀や弓で思いっきり戦えばよかった時代、政治も経済もシンプルで民衆にも理解できた時代ならそれでうまく機能したかもしれません。

しかし現代のように、「政治・経済・外交について何ひとつ理解していない民衆」にその決定権を与えるというのは、喩えるなら「あんな鉄の塊が飛ぶなんて信じられん！」と宣《のたま》う男に乗客を満載したジャンボジェット機を操縦させるようなものです。

もはや現代のような「莫大な情報が錯綜し、敵の見えない複雑怪奇な国際情勢・政治・経済となった時代」に、民主制はうまく機能しないのです。

しかし、この事実をすぐに理解できる者は多くありません。

たとえば、幕末日本において、すでに幕藩体制というものが時代遅れとなったことが明らかとなってもなお、当時の武士はそのほとんどがこの事実を理解できず、幕藩体制を堅持することに命を賭け、そして散っていきましたが、彼らがとりわけバカだったというわけではありません。

その時代の中で生まれ、その時代の中で生きてきた者は、突然「あなたの生きてきた時

（＊69）「歴史法則31」

代はもう時代遅れだよ」といわれても、おいそれと受け容れることができないのです。

民主主義にはもともと、どんなにすぐれた政治家がどんなすばらしい政策を訴えても、無知な国民がそのすばらしさを理解できなければ採用されず、なんの政才もない、あるのは権力欲のみという扇動政治家《デマゴーゴス》が、民衆ウケするツラ構えと発言を繰り返していれば、民衆は拍手喝采——という弱点を抱えていましたが、政治・経済・外交が難解になればなるほど、その弊害が強く現れるようになるのです。

衆愚政治が国を亡ぼす

デマゴーゴス。

紀元前5世紀、古代ギリシア・アテネにおいて、ペリクレス将軍は古代民主政を完成させました。しかし「完成」のあとに待つのは「崩壊」です。

彼の死後、政才もないくせに舌先三寸で民衆を扇動し、アテネを亡国へと導いた政治家がわらわらと現れ、アテネは衰亡していきます。

そうした政治家のことを「扇動政治家《デマゴーゴス》」といい、デマゴーゴスに導かれている政治のことを「衆愚政治」といいます。

そして、衆愚政治は「死に至る病」。

衆愚政治に入った国は、遠からず亡びることになります。

ところで、２０１６年のアメリカ大統領選挙は後世に語り継がれる大統領選挙となるかもしれません。

共和党のＤ《ドナルド》・トランプなる人物が当選したためです。

彼の発言はもうメチャクチャです。

――メキシコ移民は麻薬と犯罪を持ち込む元凶だ。よって、メキシコとの国境沿いに〝万里の長城〟のごとき長大な壁を築く。その費用（1兆円前後）はメキシコに払わせる。

――9・11の際、対岸のニュージャージー州では数千人ものアラブ人が拍手喝采してその光景を称えていた（事実無根）。

――ムスリム（イスラーム教徒）の入国は全面的に禁止させる。モスクを閉鎖させ、ムスリムの身辺調査をし、監視体制を敷く。

――イスラームとの戦いのためには拷問を復活するべき。

――「イスラーム国」（ＩＳ）には徹底的に爆撃を行う。

――白人によって殺される黒人の数よりも、黒人によって殺される市民の数の方がはるかに多い。

もうどこからツッコんでよいのやら。

たいへんに分かりやすい典型的なデマゴーゴスで、民主主義がまともに機能しているなら、けっして勝ち残るはずのない人物です。

しかし現実に彼は、大統領選を勝ち抜きました。

こんな人物が大統領にまで昇りつめる時点ですでにアメリカの民主主義が〝死の病〟に冒されており、典型的な「衆愚政治」に陥っている証拠です。

古代アテネにおいて、「クレオン」という人物はアテネを崩壊に導いた典型的なデマゴーゴスとして歴史にその名を刻みました。

トランプ大統領もまた「アメリカ合衆国を衰亡に導いた大統領」として歴史にその名を刻むことでしょう。

頂上から先は下りのみ

頂点に立った者はかならず亡びる。

歴史の絶対法則です。

アメリカはすでに頂点を越え、今はその下り坂を転げ落ちている最中です。

その時代の頂点に君臨するためには、どうしても「国家の特性」と「その時代の特性」をぴったりマッチさせなければなりません。(＊70)

これに成功することができれば、その時代において繁栄することができ、その時代の頂点に君臨する資格を得ることができます。

しかし、時代の頂点に君臨するということは、その維持に莫大な経費を必要とするため、財政を逼迫《ひっぱく》させます。(＊71)

そして、「時代」はかならず変遷しますが、(＊72)国家の体制・本質はそうそうおいそれと変えることはできません。(＊73)

（＊70）「歴史法則37」「国家の特性」が「その時代の特性」とピッタリと符合した国でなければ、その時代の覇者になることはできない。したがって、時代が移り変わり、その性質が変化したとき、旧時代の覇者は新時代の特性と合わなくなるため、衰亡せざるを得ない。

（＊71）「歴史法則21」経済大国は軍事大国とならざるを得ないが、軍事費は財政を蝕む。

（＊72）「歴史法則31」どんなにすばらしい思想・教え・理念・制度もかならず古くなる。「歴史法則36」すべての時代は、その時代ごとの「前提条件」に支えられて成立しているため、条件が変われば時代も変わらざるを得ない。

こうして、ひとつの時代においてその国を頂点にまで導いたシステムそのものが、時代が変わったとき、その国の足枷となって亡んでいくことになるのです(*74)。

アメリカの場合、その建国事情によって、とりわけ「民主主義精神」の強烈なお国柄となりました。

それが「帝国主義段階」という時代とぴったりマッチすることで、20世紀に覇を唱えることができたのです。

しかし、「帝国主義時代」も今は昔。

時代が急速に移り変わり、「21世紀新時代(*75)」を迎えてもなお、アメリカはそれに気づくことなく、帝国主義的外交を繰り返すのみ。

時代が移り変わっても生き残る国はありますが、そうした国は新しい時代に身を合わせることができる国だけです。

アメリカのように、古い時代のやり方に固執しているようでは亡国の道をまっしぐらです。それを証明するように、現在、アメリカ経済はすさまじい勢いで貧富の差が広がっています。

それは、1929年の世界大恐慌直前の貧富の差に匹敵するほど。

すべてのベクトルが「アメリカ崩壊」を示しています。

スローガンと現実

ちなみに、テレビというものが普及して以降、衆愚の心を掴むためには、いよいよ単純で短い言葉を繰り返し繰り返し叫ぶ「スローガン」がより有効になってきました。

そこで、歴代大統領の掲げたスローガンを見ていくと、おもしろいことに気づきます。

彼らの掲げたスローガンはすべて「ないものねだり」であり、実現していないものばかり。

L.ジョンソン「偉大なる社会」→貧相な社会
R.ニクソン「法と秩序」→法も秩序も崩壊している
R.レーガン「強いアメリカ」→弱いアメリカ
B《バラク》.オバマ「Change!」「Yes, We can!」→何も変わらない、何もできない

こうしてみると、滑稽なほど「現実」はスローガンと真逆です。

（＊73）「歴史法則02」バランスを失ったとき、為政者に富や権利の再分配をする柔軟性があるかどうかが国家再建の分岐点となる。「歴史法則06」自己修正能力を失った組織は崩壊に向かう。しかし、その前に「変質」というもう一段階を経ることがある。
（＊74）「歴史法則16」その国の成立・発展の礎となったものが、その国の衰退・滅亡の原因となっていく。
（＊75）後世の歴史家が命名することになるでしょうが、現時点では時代の名前はありません。

では、2016年大統領選挙において、D.トランプ氏はなんと叫んでいるのでしょうか。

「強いアメリカをふたたび！」

嗚呼！

覆車の戒《いまし》め

本書では、人類の歴史の中で〝我が世の春を謳歌した大帝国〟の繁栄と衰亡を見てきました。

しかし、それで終わったのでは何にもなりません。

――前車の覆るは後車の戒め。

では、我が国日本が彼らの轍を踏まないようにするためにはどうすればよいのでしょうか。

これを過去の失敗から読み取らなければなりません。

じつのところ、答えはカンタンです。

亡びたくなければ、けっして頂点に立たないこと。

つねに「上の中」「上の下」くらいの位置にいるのが一番よい。
敢えて頂点に君臨しないことを目指す。

日光《にっこう》東照宮の陽明《ようめい》門は柱の一本だけを逆さまにして「不完全」にしてあるそうです。「完成」の先には「崩壊」しかないということを昔の日本人はよく理解していたため、わざと「未完成」という状態にすることで、永遠につづくことを願掛けしたわけです。

ひとつの時代の頂点に君臨するためには、我が身をその時代の特性にぴったりと合わせなければなりません(*76)が、それをしたが最後、時代が移り変わったとき、確実に亡びなければならなくなります。

その時代に100%合わせるのではなく、80%だけ合わせて、20%の遊びを残してお

(*76)「歴史法則37」「国家の特性」が「その時代の特性」とピッタリと符合した国でなければ、その時代の覇者になることはできない。したがって、時代が移り変わり、その性質が変化したとき、旧時代の覇者は新時代の特性と合わなくなるため、衰亡せざるを得ない。

く。

その遊びがあればこそ、次の時代への変化に適応できるのです。

でも、その点も筆者は安心しています。

幕末維新の激動すらうまく乗り越えてきた日本です。

この21世紀の激動も、きっと乗り越えてくれるでしょう。

文庫版あとがき

本書は、アメリカが先の大統領選のまっただ中の２０１６年に上梓《じょうし》され、幸いにも各方面から好評を得る僥倖《ぎょうこう》に与《あずか》り、今年めでたく文庫本化されることと相なりました。

その４年間で歴史はさらに動きましたが、本書に書かれた歴史的本質は万古不易《ばんこふえき》にして色褪《あ》せることはありません。

歴史は一見どんどん様変わりしていくように見えますが、その本質的な部分は洋の東西を越え、古今を越え、民族を越えて普遍であるため、歴史を正しく学ぶなら、歴史ほど人生に有益な学問もありません。

「歴史を学ぶ」ではなく「歴史に学ぶ」ことで、過去と現在を比較対比し、現代社会を主観的ではなく客観的に把《とら》えることができるようになり、過去と現在の延長線から未来の動向を予測することすら可能となり、事が起きてから狼狽《ろうばい》するのではなく、事が起きる前にあらかじめ対処することもできるようになります。

そうしたことを踏まえて、本書は「覇権国家」をテーマとして生まれました。

冒頭でも触れましたように、歴史は「安定期」と「混乱期」を繰り返していますが、現在は、20世紀いっぱいまでに「安定期」が終わりを迎え、21世紀以降、具体的には「9・11」を境として、時代は急速に「混乱期」へと向かっているただ中（過渡期）と考えてよいでしょう。

すべての要因《ベクトル》がそれを指し示していますが、ひとつには「覇権国家の権威」が揺らぎ始めていることが挙げられます。

そもそも「安定期」というのは、覇権国家の権威が天下にあまねく行き渡っているから「安定」しているのであって、これが揺らげば「安定期」も揺らぎ、崩壊すれば「混乱期」に突入します。

「9・11」はまさにイスラームによる覇権国家アメリカへの挑戦であり、これを引き金として血なまぐさい「対テロ戦争」が始まりました。

そして、これがようやく落ちついてきたと思ったら、今度は中国がアメリカに挑戦してきました。

このように、倒しても押さえつけても、つぎつぎと覇権国家に挑戦してくる勢力が現れること自体が、アメリカの権威が揺らいでいることを意味しています。

また、現在〝中国の挑戦〟を受けて立っているのがトランプ大統領ですが、本文でも触れたように、彼は典型的な煽動政治家《デマゴーゴス》。

そして、この煽動政治家《デマゴーゴス》が現れるのはいつも「混乱期」ですから、彼の存在自体が今現在が「混乱期」にあることを示しています。

しかし筆者の見るところ、中国がアメリカに取って代わって「21世紀を担う覇権国家」となることはないでしょう。

なんとなれば、中国のやっていることは「軍事力で周辺を威圧し、経済力で弱者を従わせる」という帝国主義時代を彷彿《ほうふつ》とさせる古いやり方だからです。

「新時代を担う覇権国家」というものは「新時代に見合った新しいやり方」で覇権国家の階段を登っていくものであって、古いやり方では無理です。

そしてそんな折も折、このタイミングで世界にパンデミックが襲いかかりました。

歴史を紐《ひも》解けば、過去、パンデミックが起こるときというのはいつも「時代が大きくうねるとき」です。

このように、すべての要因《ベクトル》が今我々が生きているこの時代が「歴史の転換点《ターニングポイント》」にいることを示しているのです。

では、来たるべき新時代の「覇者」たるは誰か。

ヒントは「前時代の古い政治理念に凝り固まり、これを行使する国ではない」ということです。

その点で、アメリカも中国も〝失格〟です。

その〝資格〟のある国は、旧来の覇権国家が武器としてきた「軍事力や経済力とはまったく対極にあるものを武器とする国」に違いありません。

それは「軍事力・経済力でねじ伏せる」の対極ですから、さしづめ「誠実と信頼で信望を集める」でしょうか。

では、「誠実と信頼で信望を集める国」とはどこでしょうか。

その判断は読者諸兄にお任せするとしましょう。

令和二年　六月

著者しるす

祥伝社黄金文庫

「覇権《はけん》」で読《よ》み解《と》けば世界史《せかいし》がわかる

令和 2 年 7 月 20 日　初版第 1 刷発行

著　者　神野正史《じんのまさふみ》
発行者　辻　浩明
発行所　祥伝社《しようでんしや》

〒101－8701
東京都千代田区神田神保町 3－3
電話　03（3265）2084（編集部）
電話　03（3265）2081（販売部）
電話　03（3265）3622（業務部）
www.shodensha.co.jp

印刷所　萩原印刷
製本所　ナショナル製本

本書の無断複写は著作権法上での例外を除き禁じられています。また、代行業者など購入者以外の第三者による電子データ化及び電子書籍化は、たとえ個人や家庭内での利用でも著作権法違反です。
造本には十分注意しておりますが、万一、落丁・乱丁などの不良品がありましたら、「業務部」あてにお送り下さい。送料小社負担にてお取り替えいたします。ただし、古書店で購入されたものについてはお取り替え出来ません。

Printed in Japan　© 2020, Masafumi Jinno　ISBN978-4-396-31784-3 C0120

祥伝社黄金文庫

出口治明
仕事に効く教養としての「世界史」
先人に学べ、そして歴史を自分の武器とせよ。人類五〇〇〇年史から現代を読み解く10の視点とは？

茂木 誠
世界史で学べ！ 地政学
地政学を使えば、世界の歴史と国際状況の今がスパッ！ とよくわかる。世界を9ブロックに分けて解説。

兵頭二《に》十《そ》八《はち》
日本史の謎は地政学で解ける
教科書の知識が「一本の線」でつながった！ 日本史の流れが地政学でわかる。軍事・防衛の専門家が徹底解説。

A・L・サッチャー
大谷堅志郎／訳
燃え続けた20世紀
戦争の世界史
近現代史の大家が「われらが時代の軌跡」を生き生きと描いた。名著、待望の文庫化！

A・L・サッチャー
大谷堅志郎／訳
燃え続けた20世紀
殺戮《さつりく》の世界史
原爆、冷戦、文化大革命……20世紀に流れ続けた血潮。新世紀を迎えた今も、それは終わっていない。

A・L・サッチャー
大谷堅志郎／訳
燃え続けた20世紀
分裂の世界史
'62年キューバ危機、'66年からの文化大革命……現代史の真の姿を、豊富なエピソードで描く歴史絵巻。